LA NOUVELLE ENCYCLOPÉDIE DE LA JEUNESSE

Que ferai-je plus tard ?

Pierrette Cuendet

Illustrations de :
Claire Cormier, Florence Guiraud, Teytaud

HACHETTE

Avant-propos

Le choix d'un métier

Choisir un métier est un fait important qui engage une partie de l'existence de chacun de nous. Il faut le faire avec soin et en connaissance de cause. Si l'activité exercée fournit l'indépendance financière, elle doit aussi apporter une satisfaction morale, contribuant à l'équilibre quotidien et à l'épanouissement de la personnalité tout au long des années de vie active. Il est donc indispensable de se lancer dans un métier vers lequel on se sent attiré, un travail qui correspond à son caractère, à sa sensibilité, à l'idée que l'on se fait d'une certaine forme de vie, et même d'un certain progrès ou aménagement que l'on pourrait y ajouter en s'y consacrant.

Un métier ne doit pas constituer une corvée, inévitable pensum dicté par les besoins de la société, mais un investissement à long terme d'une partie de soi, engendrant l'enthousiasme puis, au fil du temps, le contentement de la connaissance acquise et le bien-être qui découle des choses faites avec compétence. Réussir dans la vie, c'est la gagner convenablement, c'est surtout aussi se réaliser soi-même, s'imposer par son travail et par sa manière professionnelle de faire face aux difficultés, de résoudre les problèmes, dans quelque domaine que ce soit et à tous les niveaux.

Une longue chaîne d'efforts

Tout ce qui se passe autour de nous, tout ce qui se construit, chaque progrès enregistré, est le résultat de l'apport individuel de chacun, depuis la conception jusqu'à la réalisation. Qu'il s'agisse du stylo qui a servi à écrire ce texte, des machines qui ont imprimé ce livre, ou encore de toutes les personnes qui ont permis qu'il soit composé, illustré et diffusé en librairie, qu'il s'agisse aussi de vous qui pouvez le lire grâce à l'enseignement de vos professeurs..., c'est une longue chaîne de métiers et d'efforts personnels mis bout à bout pour former des ensembles qui s'additionnent encore afin de contribuer à l'équilibre de notre société. Chacun y apporte ce dont il est capable, selon ses moyens physiques et intellectuels et les facultés d'apprendre et de comprendre qui lui sont offertes.

L'époque des études laisse toutes les portes ouvertes! C'est à vous de choisir lesquelles ou laquelle vous voulez atteindre, tout en sachant que, quel que soit le but visé, il vous faudra de la volonté et de la persévérance pour y arriver.

Pour les filles comme pour les garçons

Pratiquement tous les métiers sont accessibles à tous et à toutes. Comme il y a des esthéticiens et des puériculteurs, il y a des femmes commandant de bord et capitaine au long cours, chauffeur de poids lourd et même mineur de fond. Bien sûr, certaines de ces professions, réservées encore récemment aux seuls hommes, demandent un caractère bien trempé et de la résistance physique. D'autre part, une présence soutenue sur le terrain ou de longues études ne sont pas toujours compatibles avec une vie de famille suivie. Mais là aussi, il faut savoir faire un choix, et exercer un métier qui plaît est un atout à ne pas négliger. C'est une liberté qui s'acquiert de son plein gré.

Pourtant, si vos idées ne sont pas très claires sur ce que vous avez envie de faire plus tard, n'hésitez pas à poursuivre des études, à apprendre le plus de choses possibles (le cerveau fonctionne comme un ordinateur : plus on y introduit de programmes, plus il est performant).

La culture permet de comprendre les gens et les choses, la nature et les techniques, avec leurs conséquences.

L'informatique est partout

Le monde du travail est en pleine évolution. Certains métiers traditionnels sont en train de disparaître alors que d'autres surgissent, toujours plus techniques, toujours plus spécialisés. Avec le développement des nouvelles technologies, ils se diversifient au point que l'on verra se multiplier les différents types de professions ayant trait à l'informatique et à l'électronique.

D'ici l'an 2000, de nombreux métiers apparaîtront du fait des nouvelles manières de gérer les richesses naturelles et les ressources socio-économiques de la Terre. La formation et l'adaptation aux mutations technologiques représentent l'enjeu principal des prochaines décennies. Les qualifications de l'avenir devront tenir compte de la révolution informatique et du processus d'automatisation toujours plus présent dans tous les secteurs de l'industrie et de l'économie.

Les connaissances et le savoir-faire des hommes devront être en progression constante pour pouvoir utiliser intelligemment cette auxiliaire indispensable qu'est l'électronique.

Des métiers à double compétence

Les robots se chargeront peu à peu des travaux pénibles, cependant que les ouvriers apprendront non seulement les techniques que nécessite leur spécialité, mais aussi l'informatique leur permettant de contrôler les opérations.

La haute technologie (spatiale, aéronautique, nucléaire), la recherche, la construction automobile et navale, les mines et la sidérurgie, les biotechnologies, les télécommunications, et toutes les entreprises aux activités plus traditionnelles (bois, textile, habillement) auront besoin de techniciens à double compétence.

La fabrication et la conception assistée par ordinateur, les machines à commandes numériques, la télématique donnant accès aux banques de données, le traitement de texte feront partie demain de tous les secteurs d'activité. L'agriculture, le commerce, l'administration, l'enseignement auront recours à l'ordinateur, et celui-ci sera présent dans la vie professionnelle comme dans la vie quotidienne.

Il faut donc apprendre un métier mais aussi l'informatique. Ses applications sont loin de connaître leurs limites et sa pratique vous apportera une aide appréciable, quel que soit le métier que vous choisirez : juriste ou commerçant, artisan ou artiste, bûcheron ou cheminot. Que vous soyez un adepte de la technologie ou un passionné de la nature, elle vous sera utile à la compréhension de la société à venir. Les jeux électroniques vous mettent déjà sur la voie, il suffit de continuer...

Tous les choix sont valables

Le temps de l'école est une étape de la vie : le passage de l'enfance à l'adolescence. L'esprit s'ouvre et le regard sur le monde change. Les années d'enseignement sont propices au développement de la personnalité et à la réflexion sur l'étape suivante : celle de l'adulte qui devra choisir sa voie dans la vie. Et notre société est ainsi faite que chacun doit contribuer à son édification et donc s'y insérer.

C'est maintenant le moment de réfléchir sur ce que sera votre futur et de découvrir quelles sont vos aspirations profondes, vos possibilités.

Ce livre vous aidera à trouver votre centre d'intérêt, peut-être le métier de votre choix, et tous sont valables s'ils sont abordés avec de la conviction, de l'enthousiasme, ainsi que la volonté de travailler pour réussir.

Pierrette Cuendet

L'agriculture

Agronome ▽

Ingénieur diplômé ou technicien, l'agronome est un spécialiste des connaissances théoriques et pratiques se rapportant à l'agriculture. C'est un homme de terrain autant que de bureau (gestion, administration) ou de laboratoire (biologie). Il travaille à l'amélioration des terres cultivables (agrologie), au meilleur rendement des récoltes par une irrigation étudiée des sols, par une sélection appropriée des plantes, par un apport calculé des engrais (agrochimie). La profonde transformation qui bouleverse l'agriculture et la nécessité d'un aménagement plus rationnel des ressources alimentaires de la planète, notamment dans les pays en voie de développement, font que l'agronome sera de plus en plus indispensable à l'économie rurale.

Cultivateur △

Il y a loin de l'ancienne paysannerie à l'agriculture moderne. Le cultivateur est devenu un chef d'entreprise qui doit savoir tout faire : choisir les variétés de semences, traiter les produits, chercher les meilleurs circuits de commercialisation, faire face aux problèmes financiers... Il est aussi un ouvrier qui travaille dur. Heureusement, l'informatique (micro-ordinateur) et la télématique viennent au secours de ces nouveaux gestionnaires pour leur donner le cours des céréales et de la viande, le prix des engrais, les prévisions météo.

Les grandes exploitations sont encore souvent familiales ou constituées d'un groupe de familles, et les jeunes (fils ou salariés) suivent une formation spécialisée dans les écoles d'agriculture.

Délégué de coopérative agricole

C'est un technicien des questions agricoles qui met ses compétences au service des cultivateurs. Ses déplacements sont fréquents, ses tâches multiples : conseils, réunions, visites, interventions matérielles. Il fait la liaison entre la coopérative et les différents producteurs d'une région déterminée, et tout comme le conseiller agricole ou l'expert agricole et foncier, il apporte une aide importante et dynamique dans la gestion des exploitations, surtout lors de l'installation de jeunes agriculteurs (traite mécanique, machinisme agricole, production de viande ou maraîchage), ou dans la mise en place d'essais de cultures.

Son atout : la disponibilité ainsi qu'une juste évaluation des problèmes de chacun.

Sélectionneur de graines

La modernisation de l'agriculture se passe aussi bien dans les champs que dans les éprouvettes. La multiplication des semences est devenue l'intérêt premier de la recherche agronomique. Grâce à la biologie végétale, la sélection des plantes, leur hybridation et leur manipulation génétique ont permis de développer le rendement des cultures de céréales, de légumes et de fruits, d'améliorer leur résistance aux parasites et de les adapter aux conditions climatiques. Dans son laboratoire d'études, le sélectionneur choisit et croise entre elles des variétés de graines, à la recherche d'espèces nouvelles.

Le semencier, cultivateur spécialisé dans la multiplication de ces semences sélectionnées, travaille pour de grandes entreprises qui les distribuent aux cultivateurs. Le gestionnaire de banque de graines, assisté par ordinateur, gère les stocks des nombreuses espèces.

Conducteur de machines agricoles △

Conducteur, mais aussi mécanicien ! Car les exploitations agricoles se trouvent souvent éloignées des centres habités. Il est aussi indispensable de savoir maîtriser les défaillances mécaniques, que de procéder à l'entretien régulier des machines. Du tracteur à la moissonneuse-batteuse, les engins sont très diversifiés et s'additionnent de remorques (semoirs, épandeuses, pulvérisateurs, socs de labour) qu'il faut manœuvrer dans le bon sens au bon endroit. Mais les machines se perfectionnent, et si leur complexité demande de l'adresse, l'incorporation de composants électroniques assure de meilleures performances ainsi qu'un confort et une sécurité accrus. C'est en fonction des cultures pratiquées, de la nature du terrain, de la météorologie, que le conducteur décide, en accord avec le chef de culture, des travaux qu'il doit mener à bien.

Maraîcher ▷

Le maraîcher, ou serriste, est un cultivateur de fruits et légumes dont le métier évolue au rythme des découvertes en biotechnologie (micro-bouturage des plantes) et en robotique (climatisation, fertilisation automatiques). Plantations d'arbres fruitiers, cultures en pleine terre ou le plus souvent sous serres, chaque espèce nécessite de nombreuses opérations culturales importantes : irrigation, binage, traitement, avant d'en arriver à la récolte puis au conditionnement (réfrigération en atmosphère contrôlée), car la plante doit continuer à vivre pour que soit assurée sa conservation jusqu'au moment de sa vente au consommateur.

Jardinier mais aussi commerçant et chef d'entreprise, le maraîcher se préoccupe de la demande des marchés et de l'industrie agro-alimentaire, aidé par des conseillers agricoles et des « cogniticiens » en fruits et légumes (banque de données informatiques).

L'horticulture

Viticulteur ▷

La mécanisation de la viticulture a largement contribué à améliorer le rendement des vignobles tout en réduisant la manutention. La fertilisation et les traitements sont réalisés par des outils portés sur tracteur et les machines à vendanger récoltent avec une grande rapidité. Les ceps, plantés pour durer une dizaine d'années, doivent alors respecter un écartement constant. La cueillette du raisin de table et la taille sont aussi en voie de mécanisation selon certains procédés de reconnaissance des formes (caméra vidéo associée à des microprocesseurs). Pourtant, en ce qui concerne les petites exploitations, le dur métier de vigneron se perpétuera encore quelque temps... Mais la viticulture, c'est aussi la production vinicole et celle-ci varie à l'infini selon la nature du sol, l'ensoleillement, les pluies qui donnent naissance au raisin, puis les différents stades de la fermentation. L'équilibre biochimique d'un vin est très important. Le rôle de

l'œnologue est de tester, d'analyser le mélange final : eau et alcool plus de nombreux corps organiques qui lui donnent sa saveur, sa couleur, sa qualité. La chimie du vin est très complexe et les fraudes sont parfois difficiles à déceler. Les méthodes de laboratoire ne suffisent pas toujours et le palais humain reste

irremplaçable. C'est pourquoi il existe des goûteurs de vin qui procèdent à des contrôles par la dégustation et l'analyse olfactive. D'autres métiers, comme inspecteur des instituts du vin ou délégué de coopérative viticole, demandant des connaissances approfondies en viticulture.

Champignonniste ◁

Les champignonnières sont le plus souvent aménagées dans des endroits souterrains, caves ou carrières. Là, dans des bacs emplis de terreau approprié poussent les champignons de Paris, ou de couche. Cultivés à l'abri de la lumière, ils sont ensuite récoltés et empaquetés avec soin pour être acheminés vers les marchés (consomma-

tion de frais) et les conserveries. Le pleurote est lui aussi cultivé industriellement, bien qu'en de moins grandes proportions. D'autres champignons sont appréciés en gastronomie (cèpe, coprin, girolle, truffe), mais leur culture industrielle pose des problèmes d'ensemencement et d'entretien cultural. Leur fragilité soulève aussi des difficultés de conservation. Mais si leur culture reste artisanale, elle occupe de nombreux champignonnistes, les truffistes en particulier.

Jardinier

Les jardins et les parcs font partie de la qualité de la vie, et ce, depuis toujours. Déjà, les jardins suspendus de Sémiramis, dans la Babylone antique, étaient une des merveilles du monde! Et le domaine du jardinier est aussi vaste que tous les jardins à soigner et à embellir, que tous les espaces verts à aménager, que toutes les cultures maraîchères à faire fructifier. Et si ses noms sont multiples selon qu'il s'occupe de fleurs, d'arbres ou de légumes, ou qu'il est un paysagiste, il est avant tout un artiste et un artisan qui connaît les plantes et sait en prendre soin. Il choisit au gré de la nature du sol, de l'exposition du terrain, du climat, des saisons, les plants et les graines qui donneront fleurs et fruits les plus riches en couleur ou en goût. Ce spécialiste aux « mains vertes » recherche l'harmonie aussi bien que le rendement. C'est un travail qui demande de la persévérance dans l'effort et beaucoup de patience.

Floriculteur ▽

Il ne suffit pas de planter ou de semer pour obtenir de belles fleurs. Il faut savoir soigner les pousses fragiles, les protéger des maladies et des insectes, il faut choisir avec attention le terreau qui leur convient, doser la température, l'arrosage, la fumure, en pleine terre comme sous serre. La floriculture demande de vastes connaissances en botanique pour chercher et découvrir de nouvelles sortes de fleurs. Comme le rosiériste qui crée des roses inédites par bouturage ou par greffe et qui leur donne un nom propre. Si la rose est exceptionnelle et obtient un prix d'exposition, elle devient célèbre, de même que celui qui l'a fait naître. Le marché des fleurs est important et international, et dépend de toute la chaîne des activités commerciales. Mais le floriculteur peut aussi vendre ses fleurs sur les marchés ou dans une boutique de fleuriste. Être fleuriste, c'est connaître et aimer les fleurs, et savoir les choisir en toutes occasions est un art.

Arboriculteur △

La culture des arbres demande du temps et des soins constants. Les arbres fruitiers plus encore que les arbres d'ornement sont vulnérables, surtout au moment de la floraison. Le gel, le vent, les parasites et les insectes les guettent, et même les oiseaux, lorsque les fruits mûrissent. Il faut traiter, élaguer, tailler, protéger au long de nombreuses saisons. La fumure du sol et l'irrigation sont importantes. Les connaissances de l'arboriculteur sont celles d'un jardinier spécialistes des arbres. Son travail, toujours recommencé, est souvent ingrat, et les années de mauvais temps sont difficiles. Sa récompense : les années de soleil qui donnent de belles récoltes. Car le rendement est primordial pour lui; déjà apparaissent dans certains vergers des pommiers sans branches qui occupent moins de place et qui se couvrent de fruits sans avoir besoin d'être taillés...

13

La sylviculture

Technicien forestier

Il se nommait autrefois garde forestier mais la nature de sa garde a changé. Le bois de chauffage a perdu de sa valeur et la chasse aux contrevenants n'est plus qu'un souvenir. Son travail consiste maintenant à seconder l'ingénieur forestier en le renseignant sur l'état de la forêt, sol, plantes et cours d'eau, et sur l'avancement des travaux de coupe, de régénération ou de reboisement. La forêt est son domaine. Il regarde, surveille, prévient les négligences (danger de feux), puis il rédige son rapport... tâche un peu moins agréable. Le garde-vente, ou marqueur, s'occupe, lui, de l'achat et de la vente du bois en en faisant une estimation avant la coupe. L'évaluation en mètres cubes de plusieurs hectares de forêt est une opération délicate qui demande une grande expérience. L'exploitation décidée, il en assume la surveillance et prend la responsabilité de l'abattage, du débardage et du stockage ou de la livraison. Aimer la nature est primordial pour exercer ce genre de métiers.

Débardeur ◁

Les arbres, une fois abattus, deviennent les grumes qui fournissent le bois d'œuvre. Ils doivent alors être déplacés du lieu de coupe et acheminés vers les points de chargement. C'est le travail du débardeur. Un travail pénible et non sans danger. Le débardage s'effectue au moyen de treuils, de grues, de tracteurs, de fardiers (ou triqueballes) et de chaînes qui permettent le traînage ou le levage des fûts. Les engins mécaniques sont manœuvrés par des conducteurs de machines d'exploitation forestière. En haute montagne, le débardeur devient lanceur de bois, utilisant les couloirs naturels des reliefs montagneux pour amener les troncs dans les vallées.

Les transporteurs grumiers emportent les bois rassemblés par route ou voie ferrée. Mais dans certains pays, ils sont acheminés par voie d'eau. Les flotteurs de bois (ou draveurs au Canada) conduisent les trains de bois à l'aide de longues gaffes dans le courant rapide des fleuves. Sur les lacs, en revanche, les troncs flottés enchaînés entre eux sont traînés par des remorqueurs.

Bûcheron △

C'est un métier dur et dangereux. Les bûcherons travaillent en équipe sous les ordres d'un chef de chantier qui procède méthodiquement. L'ébranchage s'apprend dans un premier temps. Puis, avec plus d'expérience, c'est l'abattage. Celui-ci s'effectue en taillis pour les plus jeunes arbres (moins de quarante ans) et en futaies pour les plus âgés (parfois plus de cent ans). Cognées, scies mécaniques et tronçonneuses sont à manier avec dextérité et précaution pour réaliser l'entaille de chute correctement. La topographie du terrain est étudiée minutieusement, des coins ou un cric hydraulique peuvent aider à déterminer le point de chute exact. Il s'agit de bien viser afin de ne perdre aucune planche et d'éviter tout accident pour les hommes comme pour les arbres voisins.

Écologiste

L'écologiste est un spécialiste de l'environnement qui travaille en étroite collaboration avec les chimistes, les biologistes, les géologues, les paysagistes, avec tous ceux qui ont pour mission d'aménager et de préserver les sites naturels, de remédier aux nuisances. En ce qui concerne les forêts, les nouvelles maladies qui sont apparues et les pluies acides sont des sujets de grande préoccupation. Des arbres innombrables sont atteints et irrémédiablement perdus. Et si les recherches en laboratoire peuvent découvrir le pourquoi de certaines maladies et le remède pour les enrayer, la pollution reste un fléau difficile à limiter. Et celle-ci est de toute nature : détergents qui nuisent aux poissons des rivières, gaz d'échappement qui dégradent les monuments, cheminées d'usines qui rejettent des agents chimiques dans l'atmosphère. Le travail de l'écologiste est énorme, pourtant le respect de la nature, c'est la protection de nos ressources ainsi que la nôtre propre.

Ingénieur forestier △

La forêt est un patrimoine précieux de la Terre qu'il faut utiliser mais aussi sauvegarder. Sa gestion demande du discernement et des connaissances tant techniques et administratives que botaniques, une bonne santé pour courir les bois et un grand amour de la nature. L'État ou des propriétaires privés gèrent les forêts en vue de les aménager, de les protéger et d'en développer les ressources naturelles. L'ingénieur forestier les administre. Il décide des coupes à faire et du reboisement en tenant compte des animaux et des plantes, et parmi les milliers d'arbres qu'il examine, il sait reconnaître les bois malades ou trop vieux. Un arbre met des dizaines d'années pour grandir ; c'est donc un travail de longue patience qui est nécessaire pour maintenir la forêt vivante et rentable.

Pépiniériste ▷

Les jeunes arbres replantés en forêt, sont d'abord élevés en pépinières. Ils demandent beaucoup de patience et des soins constants pendant plusieurs années, depuis le bouturage jusqu'au stade d'arbrisseau, avant comme après leur transplantation. Or, pressés par le temps et les besoins de rendement, les forestiers souhaitent voir pousser leurs arbres plus rapidement tout en étant assurés de la qualité de leur bois. C'est ce que les chercheurs sont parvenus à mettre au point en utilisant la multiplication végétative (ou multiplication *in vitro*) en sélectionnant les pousses des arbres les plus remarquables : de fins rameaux sont bouturés en tube à essai sur de la gélatine nourricière. L'amélioration tant génétique que des conditions physiologiques du plant et de la culture, permet de créer des «champs d'arbres» dont la croissance est réduite de moitié, alors que qualité et production de bois sont fortement améliorées. Une manière heureuse de répondre à la demande accrue de bois (construction, meubles, pâte à papier) et au mal-être des forêts. Et pour le pépiniériste, un travail en équipe toujours plus passionnant et créatif.

La montagne

Guide de montagne ▷

La montagne est un domaine très particulier, toujours contrasté, où les beautés côtoient les dangers, où la terre, l'air et le ciel sont changés, où les éléments peuvent se déchaîner à tout moment. Pour être guide, il faut bien la connaître et l'aimer, autant pour sa majesté que pour sa violence. Il faut pouvoir la deviner en quelque sorte. Ceux qui se consacrent à ce métier, sont pour la plupart originaires de la montagne et la pratiquent depuis leur enfance. Leur rôle consiste à emmener dans ce monde à part, des cordées de gens, sportifs entraînés ou non, qui ne voient bien souvent que la performance à accomplir et ne se doutent guère des responsabilités qu'elle implique. La montagne attire de plus en plus de citadins, qui vont plus haut, plus loin, et en toutes saisons. Être guide, c'est diriger l'ascension,

mais aussi conseiller, protéger, encourager et porter secours au besoin. C'est encore décider du matériel à emporter, de l'itinéraire à suivre, fixer l'heure du départ ou l'ajourner si le temps vient à se gâter. Les atouts du guide : un caractère bien trempé, une force tranquille qui allie l'intrépidité à la vigilance ; oser risquer sa vie et parfois la donner pour en sauver d'autres.

Gardien de parc national ▷

Les parcs nationaux se multiplient dans un souci de sauvegarde de la nature sauvage, mais aussi pour permettre aux amoureux de la nature d'y respirer l'air pur des forêts, des montagnes. Et le gardien est là pour faire respecter toute vie. Sa fonction dépend des pouvoirs publics ou d'un organisme privé. Tout comme le gardien de refuge, il vit en plein air, en pleine nature. Travail de surveillance de la faune et de la flore, des cours d'eau et

de la météorologie. Travail social aussi, d'aide, de conseils, de renseignements qu'il apporte aux nombreux visiteurs et promeneurs, de secours également en cas de détresse. Il veille à l'équilibre écologique entre les différentes espèces animales, entre les animaux et les plantes. Il vit entre l'harmonie des paysages colorés au gré des saisons et la lutte contre les éléments qui peuvent le laisser isolé pendant des jours après une grosse chute de neige ou par brouillard persistant. Son seul recours : l'hélicoptère qui vient le ravitailler, lorsque celui-ci peut décoller...

Moniteur de ski ▽

Les pistes de ski se multiplient sur toutes les hauteurs montagneuses où s'ébattent des millions de skieurs, des enfants aux adultes les plus confirmés. Bien maîtriser les pentes neigeuses, c'est ce qu'enseigne le moniteur de ski. Sportif professionnel, il apprend, selon ses diplômes, aux débutants ou aux plus expérimentés la théorie et la pratique du ski, ou entraîne des champions. Le ski est devenu de plus en plus performant et l'enseignement plus adapté à l'habileté de chacun. La surveillance des pistes, ouverture, fermeture, ou interdiction de passage en cas de danger, incombe au pisteur-secouriste. Il apporte son aide aux skieurs en difficulté et guette ceux qui sont hors piste! Les disciplines se sont multipliées avec le ski de fond et le ski de randonnée. Et certains moniteurs exercent leur profession tout au long de l'année. Mais le ski de printemps et le ski d'été exigent des qualités de prudence et de courage accrues, ainsi qu'une grande rapidité de décision devant la menace d'une avalanche. D'autres moniteurs de ski deviennent guides de montagne ou gardiens de refuge pendant la belle saison.

Agent de station

Les remontées mécaniques des stations de sport d'hiver ou estivales qui jalonnent les massifs montagneux demandent une surveillance et un entretien constants. Outre le chef de station, de nombreuses personnes veillent à la bonne marche et surtout à la sécurité de ces véhicules qui vous emportent à des hauteurs vertigineuses. Ce sont des cabiniers, des conducteurs d'engin, des électriciens, des mécaniciens qui tiennent votre vie entre leurs mains de professionnels experts. Car, si leur solidité reste à toute épreuve, ces mécanismes souffrent lors des tempêtes de vent ou de neige. Le gel, les avalanches, la rouille les menacent. Tout est réparé, huilé, boulonné, et le premier rayon de soleil peut les remettre en activité.

Poseur de pylônes ▽

C'est le métier le plus dangereux qui s'exerce en haute montagne. Monteur, électricien, alpiniste, skieur, il se hisse et s'arc-boute sur des pitons inaccessibles. Il travaille en équilibre au-dessus du vide, perché entre ciel et terre. L'hélicoptère a remplacé le mulet pour amener le matériel à pied d'œuvre; parfois aussi les équipes, qui se laissent alors pendre au bout d'un filin jusqu'au point d'ancrage du pylône. Mais le retour se fait souvent à pied pour rejoindre la vallée. Il faut des hommes d'une grande résistance pour poser ces assemblages de poutrelles d'acier: pylônes de remontées mécaniques et pylônes électriques qui transmettent la haute tension ou desservent des villages de montagne. Un pylône arraché par une avalanche doit être réparé rapidement quel que soit le temps, pluie, vent, grêle ou neige. Dans certaines occasions, il faut se lever au milieu de la nuit pour atteindre le lieu de l'accident avant que le soleil ne fasse fondre la glace et ne provoque des chutes de pierres. Si d'un côté cet ouvrier équilibriste joue souvent avec sa vie, d'un autre côté il la gagne bien. Il aime son métier et en est fier.

17

La mer

Marin ▽

Le terme de marin englobe tous les métiers qui se rattachent à la navigation en mer, du matelot au capitaine. Les navires de transport, qu'ils soient paquebots de croisières, cargos ou pétroliers géants, nécessitent selon leur taille et leur fonction un personnel nombreux et varié pour les mener d'un port à l'autre. Le guidage par satellite a remplacé le sextant et le cap est calculé par l'ordinateur de bord, mais les risques sont toujours les mêmes et les responsabilités du capitaine à chaque fois engagées. C'est après de longues années d'études qu'il devient maître à bord de son bateau. Il est aidé dans sa tâche par des marins compétents : officiers de quart, officiers techniciens, hommes de pont, mécaniciens, radiographistes et radio-électroniciens, électriciens, soudeurs, cuisiniers et stewards. Mais tous ceux qui choisissent de s'embarquer, ont un point en commun : ils aiment la mer. Et l'apprentissage maritime peut se faire dès l'âge de quatorze ans ! Ils se plient à la discipline d'une vie communautaire divisée en «quarts» et acceptent de quitter la terre pour des périodes qui peuvent aller de quelques jours à plusieurs mois. Une vie vagabonde qui les sépare de leur famille plus ou moins longtemps, selon qu'il s'agit de cabotage ou de navigation hauturière. Seuls les pilotes restent attachés au même port, ayant la responsabilité de guider les navires jusqu'à leur quai d'amarrage. Un capitaine au long cours, s'il a l'expérience des mers qu'il sillonne, ne peut connaître toutes les rades.

Marin pêcheur △

La pêche en mer représente la ressource principale de certaines régions. C'est un métier dur qui s'exerce souvent en famille lorsqu'il s'agit de pêche côtière, pêche artisanale pratiquée au gré des marées, non loin des rivages. La pêche en haute mer se fait à bord de chalutiers qui sont frétés par des armateurs et sur lesquels travaillent de nombreux hommes aguerris. Ils gagnent des lieux de pêche éloignés et restent absents plusieurs jours ou plusieurs semaines. Les chaluts ou les sennes (filets qui peuvent atteindre 2 500 m de long) sont traînés sur de grandes distances. Le travail du poisson est pénible et la vie à bord reste rude malgré la modernisation des installations et les équipements techniques de plus en plus sophistiqués. Ce n'est que lorsque les cales sont remplies de poisson (thons, sardines ou maquereaux) que les pêcheurs rejoignent leur port d'attache. Le poisson est déchargé avec l'aide des dockers, puis vendu aux enchères sur les «criées» (marchés aux poissons). Mais la pêche est soumise à des contraintes économiques et politiques difficiles et sa survie ne pourra être assurée qu'au moyen d'une amélioration des techniques de rentabilité ainsi que d'une gestion plus rationnelle des fonds marins.

Plongeur ▽

En plongée autonome, l'homme-grenouille fait de courtes incursions sous-marines, pour des travaux de sauvetage ou de chantier. Le plongeur *off shore,* lui, travaille sous l'eau avec l'aide de machines. Chaque grande plongée implique un entraînement, des tests et de bonnes facultés psychomotrices. Une tourelle descend les équipes de plongée sur leur lieu de travail, entre 0 et − 500 m de profondeur. Les travaux (forages, constructions, connexions de pipe-lines, vidanges de pétroliers naufragés, renflouements d'épaves) peuvent durer des semaines ou des mois. Les équipes restent de deux à quatre semaines dans leur «maison sous l'eau» avant d'être relevées, mais elles sont en contact radio permanent avec la surface. Sur le chantier, les plongeurs sont reliés à la tourelle de plongée par un ombilical qui leur transmet l'air et le chauffage (circuit d'eau chaude). Les projecteurs de la tourelle éclairent le chantier. Les travaux s'effectuent à l'aide de treuils et de systèmes mécaniques; les soudures se font à sec, protégées par une «chambre de soudure» qui, maintenue par d'énormes pinces, coiffe la portion de travail voulue. Lorsque la tourelle est remontée, les plongeurs sont transférés dans un caisson de décompression. Ils y passent un jour par 50 m de remontée (six jours pour un travail à − 300 m). C'est un métier dangereux qui présente autant de risques à − 50 m qu'à − 500 m, et qui nécessite du courage physique en plus des compétences techniques.

Moniteur de voile △

La houle, le vent qui forcit, la brume, autant de pièges qui se referment sur un navigateur inexpérimenté. Pour y remédier, il y a les innombrables écoles de voile implantées sur les bords de mer et sur les rives des grands plans d'eau. Les moniteurs de voile y enseignent la mer et le maniement des bateaux, par la théorie et la pratique. Comment hisser une voile, affaler un foc, tenir le gouvernail, comment lire un compas et les cartes nautiques, comment faire face aux éléments en utilisant au mieux les possibilités du bateau. Pour être moniteur, il faut être éducateur sportif et avoir une solide expérience de la voile, des codes maritimes et de la météorologie. Certaines écoles ne fonctionnent que pendant la belle saison, mais quelques-unes ont une activité permanente, et le gros temps est la meilleure école pour apprendre la mer.

Pisciculteur

Le pisciculteur pratique l'élevage intensif des poissons, l'aquaculture. Pour certaines espèces, les œufs sont récoltés à l'époque de la ponte et placés en incubateur. Les larves sont ensuite transférées dans de grands bassins (dorade, saumon). Pour d'autres espèces, les alevins sont pêchés en mer (turbot, loup). Les poissons grandissent en mer dans des cages flottantes abritées des vagues. A l'intérieur des terres, l'eau des bassins est renouvelée par pompage. L'intérêt de l'aquaculture, c'est de pouvoir répondre à la demande de poisson frais par une qualité égale et moins chère. C'est aussi un moyen de pallier l'apauvrissement des mers. La sélection génétique et l'informatique sont les auxiliaires du pisciculteur qui doit concilier recherche et rentabilité. L'algoculture (algues) et la conchyliculture (coquillages) sont aussi en plein développement.

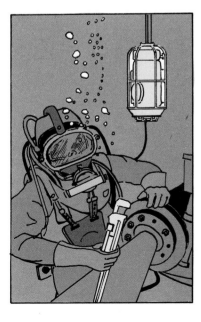

L'air

Pilote d'hélicoptère ▷

Dans l'aviation civile, les hélicoptères sont requis pour de nombreuses tâches : prospection, secours, ravitaillement, assistance technique, travaux agricoles, photographie, télévision. Les pilotes d'hélicoptères spécialisés dans les travaux aériens, sont formés par l'armée ou des sociétés privées, bien que les écoles de pilotage soient rares et coûteuses. Le pilotage professionnel d'hélicoptères demande de bons réflexes et une grande maîtrise de soi, associés à une connaissance parfaite des possibilités de l'appareil. Les travaux de sauvetage ou de chantiers en montagne doivent être parfois exécutés dans des conditions très dif-

ficiles d'approche, ce qui nécessite de la prudence et de la précision. Le mauvais temps ou une mauvaise visibilité constituent aussi des risques fréquents. L'héliportage ou héligrutage (débardage de bois,

installation de lignes électriques) utilisé judicieusement, est, malgré son coût élevé, de plus en plus compétitif économiquement et techniquement.

Aiguilleur du ciel ▷

Les tours de contrôle, d'où sont dirigés décollages et atterrissages des avions, occupent une position stratégique sur tous les aérodromes importants, civils ou militaires. Installé dans sa tour à plusieurs dizaines de mètres du sol, l'officier contrôleur de la circulation aérienne veille sur l'aérodrome qui s'étend devant lui, des aires de stationnement jusqu'au bout des pistes. Sa vigilance ne se relâche jamais, même après les heures de pointe. Si son rôle essentiel est de guider les avions au décollage ou à l'atterrissage, sa surveillance s'exerce sur tous les véhicules qui se déplacent sur terre, avions en attente, camions-citernes, voitures

ou chariots. Rien ne bouge sans son autorisation. Son domaine aérien est pourtant encore beaucoup plus vaste. Il reste en contact radio avec les avions, en approche ou en partance, tant que ceux-ci circulent dans sa zone de contrôle, jusqu'à ce qu'ils soient pris en charge par un autre aiguilleur, sur un autre aérodrome. Vigie de la tour de contrôle, l'aiguilleur du ciel parle les langues de l'aviation internationale : anglais, français, espagnol, pour connaître la provenance et la destination, l'altitude, la vitesse, l'horaire de chaque avion. C'est un poste à haut niveau de responsabilité ; des milliers de passagers dépendent de lui. Rapidité de décision et résistance nerveuse sont indispensables, ainsi qu'un niveau élevé en mathématiques.

Pilote de ligne ▽

Le pilote de ligne est un pilote professionnel spécialisé dans le transport aérien commercial. L'admission par concours dans les organismes de formation est très sévère. Elle exige un haut niveau de mathématiques ainsi que de sérieuses aptitudes physiques. Ce n'est qu'après une préparation longue et rigoureuse et de nombreuses heures de vol que le pilote obtient brevet et licence de vol lui permettant de prendre le commandement d'un avion de ligne. Décollages et atterrissages se font par n'importe quel temps et requièrent une surveillance soutenue des innombrables cadrans du tableau de bord. C'est l'ordinateur de bord qui donne les paramètres de la navigation et les conditions de vol par affichage digital et caméras vidéo, et c'est le pilote qui interprète, corrige et décide des manœuvres à accomplir. Il détient l'autorité à bord du moyen ou du long-courrier qu'il commande, mais aussi la lourde responsabilité de l'appareil, des passagers, du fret et du personnel navigant qui l'assiste : copilote, radionavigant, mécanicien, hôtesses de l'air.

Hôtesse de l'air ▽

Un métier attirant pour celles qui désirent voyager loin. Être hôtesse de l'air, c'est aimer l'imprévu, avoir un bon équilibre nerveux pour résister aux décalages horaires et... savoir nager. Le rôle de l'hôtesse à bord d'un avion de ligne est multiple. Un peu hôtelière, elle accueille les passagers, veille à leur confort, les distrait, les calme parfois. Elle sert les repas et les boissons. Un peu guide aussi, elle les informe sur le déroulement du vol et donne des renseignements sur les pays survolés, les escales prévues. Un peu secrétaire enfin, elle tient à jour les documents de bord (approvisionnement et comptabilité). On lui demande en outre de ne jamais se départir de sa bonne éducation et de parler deux langues. C'est une profession pour femmes courageuses et dynamiques qui n'engendre certainement pas l'ennui et qui porte vers des horizons nouveaux.

Astronaute ▷

Qui n'a jamais rêvé de pouvoir un jour voler dans l'espace, à l'instar des astronautes que l'on voit évoluer dans leur navette spatiale ou sur leur fauteuil volant, loin de la Terre, seuls au milieu du cosmos ? Les techniques photographiques nous permettent de suivre leurs exploits par le truchement de la télévision, mais celle-ci nous masque la réalité. Ce qui peut nous paraître évident, n'est que l'abou-

tissement de dizaines d'années d'efforts et d'entraînement, de tests physiques et psychiques toujours recommencés. Sans oublier qu'au départ, l'astronaute, avant d'être choisi pour tel, est déjà un être d'exception par son intelligence, ses facultés psychomotrices, la force de son caractère et sa formation de pilote. Aussi y a-t-il très peu d'élus en définitive. Mais ce doit aussi être un encouragement, car la relève est continue. Alors pourquoi pas vous ? Les mathématiques et la « centrifugeuse » vous attendent. L'espace peut-être aussi !

Les chevaux

Vétérinaire ▷

Avec les nouvelles données apportées par la recherche médicale, la biologie et la technologie, étendues aux soins des animaux, le domaine du vétérinaire se fait de plus en plus vaste. Médecin généraliste, chirurgien, immunologiste, psychologue de toutes les espèces animales, le vétérinaire doit connaître les méthodes particulières et les traitements qui conviennent à chacune. Ses spécialisations sont d'un autre ordre que celles de la médecine humaine. Elles portent plus précisément sur un groupe d'animaux : animaux de compagnie (en ville principalement), animaux de ferme ou d'élevage (spécialiste des chevaux par exemple), animaux de jardin zoologique, ou sauvages (dans la nature). Mais souvent, cela va du chien au canari ou de l'éléphant au pélican. De longues études de pathologie animale (maladies) et d'anatomie (différente selon qu'il s'agit de mammifères, d'oiseaux, de reptiles ou de poissons) ainsi qu'une solide expérience lui sont nécessaires pour faire face en toutes circonstances aux maladies, épidémies et blessures qu'il est amené à soigner. Les vaccinations préventives, les conseils d'hygiène et le contrôle de la viande font aussi partie du travail vétérinaire.

Moniteur d'équitation ▽

L'équitation est un sport et un art qui attire de plus en plus de gens soucieux de mieux équilibrer leur vie de citadin et de renouer avec la nature. On trouve des chevaux de monte dans les nombreux clubs ou écoles d'équitation implantés près des grandes villes ou en pleine campagne. La monte y est enseignée par des moniteurs diplômés. Le moniteur d'équitation est un cavalier émérite doublé d'un pédagogue qui sait transmettre sa science et son amour du cheval. Les élèves, adultes et enfants, qu'il prend en charge, apprennent d'abord à connaître le cheval, à se familiariser avec le harnachement, puis à se tenir en selle. Les premiers cours sont donnés en manège, individuellement ou en groupe. Plus tard, lorsque le cavalier a trouvé son «assiette», qu'il sait tenir les rennes et mener son cheval par la pression des jambes, ce sont les promenades en extérieur : récompense du cavalier aussi bien que du cheval. Ensuite, il y a les steeple-chases entre amis, puis les concours hippiques, ou encore les grandes randonnées de plusieurs jours dirigées par un maître-randonneur. Les passionnés ont le choix !

Maréchal-ferrant ◁

C'est un métier artisanal qui durera tant que dureront les courses de chevaux et les sports équestres. Dans les régions de course ou d'élevage, chaque écurie, chaque haras a son maréchal-ferrant attitré. Son travail consiste à ferrer les chevaux. Il façonne le fer à la forge pour lui donner les mesures et la forme exactes correspondant aux sabots qu'il doit habiller. Il taille la corne pour nettoyer le sabot et faciliter l'ajustage, puis il cloue le fer dans l'épaisseur de la couche cornée, à chaud ou à froid, selon sa propre méthode. La maréchalerie se prépare par apprentissage ou stage de formation technique. Un autre métier artisanal, complémentaire au monde des chevaux, est celui de sellier-harnacheur. Il se prépare aussi par apprentissage ou stage de bourrelier.

Éleveur de chevaux ▷

L'éleveur, propriétaire ou entraîneur, est un professionnel de la reproduction et de l'amélioration d'une race particulière de chevaux. Les critères de sélection quant à la rapidité ou la résistance, ne sont pas les mêmes pour les chevaux de course ou les chevaux de monte, mais pour tous, la beauté réside plus dans le maintien, le port de tête, la solidité des jambes que dans la couleur de la robe. L'éleveur entretient les juments, ou poulinières, et les étalons dans un haras où sont élevés les poulains. Son expérience et son amour du cheval lui confèrent l'intuition indispensable pour réussir dans ce métier. Les qualités et les défauts d'un poulain sont décelés au cours de la première année, pendant son débourrage. A un an, le yearling est entraîné selon ses capacités. Il est d'abord mis en confiance, puis habitué à la selle. Ensuite vient le dressage qui demande beaucoup de patience et de douceur, de fermeté aussi. C'est le travail du cavalier-soigneur qui a la charge de plusieurs chevaux. Il les nourrit, les entraîne, les panse, observe leur comportement et veille sur leur santé pendant les deux ou trois ans qui les séparent des courses ou de la vente.

Lad-jockey △

Le monde des chevaux de course est bien différent de celui des sports équestres. Les jockeys sont des cavaliers professionnels qui entraînent chaque jour les chevaux d'un ou de plusieurs propriétaires et les montent en course de plat ou d'obstacles. Les parieurs comptent sur leur habileté à gagner, et les énormes sommes engagées reposent souvent autant sur leur maîtrise et leur tactique de course que sur le crack (cheval champion) qu'ils montent. Le jockey est embauché dans une écurie de course lorsqu'il est encore jeune garçon, comme lad d'écurie. Son travail de palefrenier-soigneur est pénible. Il panse et soigne les chevaux de l'aube jusqu'au soir pendant de nombreux mois, ou même des années, avant de pouvoir commencer à monter. Il devient alors lad-jockey et participe aux canters (galops d'essai) du matin. Le lad-jockey est choisi pour sa petite taille et son poids léger (pas plus de 50 kg) mais aussi pour sa robustesse et son endurance : les montes se font par tous les temps. Et il lui faut de la souplesse car les chutes sont fréquentes. Puis vient un jour où il est remarqué par un propriétaire qui lui donne sa première chance de monter en course. Vers la victoire peut-être ?

L'élevage - 1

Berger ▷

Le métier de berger est loin d'être à l'image du rêve campagnard que lui confère la légende. La réalité est beaucoup plus rude. L'élevage de moutons demande une formation spécialisée sérieuse et une longue expérience. En plus des connaissances techniques, le berger doit avoir un sens inné du comportement des animaux. Il connaît chacun de ses moutons, il les observe, les soigne. Il doit pouvoir reconnaître une urgence vétérinaire d'une indisposition passagère, aussi bien dans l'isolement des pâturages d'été que l'hiver dans la bergerie. Il surveille les naissances, il veille à la reproduction, à l'hygiène, et s'occupe de la tonte. Que le troupeau lui appartienne ou qu'il en ait la garde, il l'emmène d'herbages en alpages, accompagné de ses chiens, avec pour seul souci le bien-être des moutons. Être berger, c'est en fait plus une vocation qu'un métier. C'est également le cas du chevrier, dont le troupeau est souvent très indiscipliné.

Gestionnaire de troupeaux ▷

La transformation de l'agriculture s'est accompagnée d'une mutation technologique et financière importante. L'agriculteur qui se spécialise dans la production animale et l'économie laitière s'est mué en gestionnaire de troupeaux. L'augmentation des contraintes économiques a conduit à l'augmentation des troupeaux, et l'exploitation d'un cheptel animal pose de nombreux problèmes ; une erreur de gestion peut être catastrophique. C'est pourquoi l'ordinateur a fait son entrée dans l'étable, — moyen le plus sûr de tenir à jour un planning et de surveiller la réalisation des solutions choisies. Pour gérer deux cents vaches, ou plus, il faut tenir compte des possibilités de la production fourragère, des procédés de la fabrication laitière et prendre connaissance des nouvelles recherches scientifiques accessibles à la pratique. Le gestionnaire bénéficie, grâce à la micro-informatique, de l'appui des services techniques spécialisés qui lui donnent les cours de la viande, des engrais, les tarifs des négociants, le choix des taureaux disponibles dans les centres d'insémination. En outre, il lui est possible de calculer, à partir des effectifs et du niveau laitier de chaque vache, leur besoin alimentaire et de faire des prévisions de production laitière pour l'ensemble du troupeau. C'est un métier qui demande beaucoup de compétences et de la volonté, mais qui, à ce niveau-là, peut être d'autant plus passionnant.

Éleveur de porcs ▽

L'éleveur de porcs, ou porcher, a suivi lui aussi le long chemin de la technologie pour en arriver à l'élevage industriel. Plus un élevage est important et plus il est rentable. Or, pour gérer un troupeau d'une ou de plusieurs centaines de porcs, seul l'ordinateur peut venir en aide au porcher et lui établir son calendrier de travail. Et les travaux ne manquent pas : alimenter et soigner les animaux, nettoyer les bâtiments, surveiller les naissances, contrôler l'engraissement (la couche de graisse se mesure par ultrasons). L'informatisation donne la possibilité de tenir à jour la fiche de chaque porc avec sa date de naissance et sa courbe de crois-

sance. Elle permet d'affiner la sélection en comparant les résultats d'une portée à l'autre, de connaître les qualités de chaque truie et de chaque verrat. Avec l'introduction des races de porcs chinoises, plus prolifiques, les naissances sont passées de 20 à 23 ou même 25 porcelets par an et par truie. La

gestation de la truie et le nombre de porcelets qu'elle porte sont détectés par échographie, et la mise bas fait l'objet de soins très attentifs. Mais si les techniques de pointe facilitent le travail du porcher, son métier reste pénible et exige de hautes qualités de soins.

Contrôleur laitier ▷

La traite mécanique est maintenant généralisée dans tous les élevages laitiers d'une certaine importance. Et la recherche en automatisation y apporte sans cesse des améliorations, tant pour soulager l'éleveur des travaux les plus pénibles que pour augmenter le rendement de l'exploitation. La productivité de chacune des vaches du troupeau dépend, en plus de ses caractéristiques génétiques, de l'équilibrage de son alimentation et des conditions de son environnement. Le rôle du contrôleur laitier, c'est de vérifier la qualité du lait. Il se déplace de ferme en ferme pour prélever et analyser des échantillons. Il détermine la propreté et le taux de matières grasses du produit de chaque vache et contrôle les conditions sanitaires. En outre, sa formation de zootechnicien lui permet de conseiller les producteurs.

Inséminateur artificiel

Les conditions d'élevage du cheptel bovin ont aussi changé. Il n'est plus besoin de mener le taureau vers la vache, avec les difficultés que cela implique. L'insémination artificielle permet de simplifier la reproduction et d'améliorer les caractéristiques génétiques des ani-

maux. Le procédé est le suivant : la semence du taureau reproducteur est récoltée dans un récipient placé sous une vache artificielle (cheval d'arçon recouvert d'une peau de vache). Après un sévère contrôle sanitaire du sperme, celui-ci est divisé et réparti dans des dizaines de petits tubes qui comportent chacun un nombre déterminé de spermatozoïdes. Les tubes sont mis dans un conteneur métallique et congelés sous azote liquide ($-180°$ à $-190°$). L'inséminateur transporte le conteneur dans les élevages où se fait le choix du taureau désiré pour chaque vache, compte tenu d'un planning de reproduction afin d'éviter la consanguinité. Il est possible de provoquer une superovulation par traitement hormonal, ce qui permet d'inséminer le même jour plusieurs vaches d'un même troupeau. L'inséminateur injecte le sperme sélectionné dans les voies génitales de la vache au moyen d'une seringue de transfert. Une manière efficace d'accroître le nombre et le potentiel d'un troupeau.

L'élevage - 2

Éleveur de chiens ▷

L'élevage de chiens est une activité artisanale mais prospère. Les chiens de race se vendent par millions chaque année, et plus leur généalogie est pure, leur pedigree (certificat de naissance) valeureux, plus leur prix est élevé. Certains éleveurs se spécialisent dans la reproduction d'une race précise : saint-bernard, berger allemand, labrador, caniche, cocker, teckel, et de nombreuses autres. La taille, le poil, l'humeur varient d'une race à l'autre, mais toutes ont leurs admirateurs. Les chiens de compagnie ont un impact sociologique important. Et de nouvelles races sont créées par sélection, comme le loup italien par exemple. D'autres éleveurs se consacrent à une catégorie de chiens : chiens de garde, de chasse, de berger ou de course, chiens d'aveugle ou chiens d'avalanches. Le dressage est alors primordial et nécessite une grande connaissance du comportement animal et de la patience. Des groupements cynophiles organisent des expositions et des concours où sont primés les plus beaux spécimens ou les meilleurs reproducteurs. Malheureusement, tous les chiens n'ont pas la chance d'être aimés. Maltraités, abandonnés, ils sont trop nombreux à se retrouver dans des refuges. Le gardien de refuge qui prend soin d'eux, doit souvent se débrouiller avec le manque de place et le manque de moyens. C'est un travail peu rémunérateur qui demande beaucoup d'efforts et de dévouement.

Aviculteur ▽

L'élevage fermier des volailles (poules, oies, canards, dindons) qui se pratique dans les exploitations agricoles, reste familial ou local. Mais la demande d'œufs se chiffre par milliards et la consommation de poulets et de dindes par centaines de milliers de tonnes. L'élevage avicole est maintenant spécialisé et automatisé. Des systèmes électroniques contrôlent la ventilation et le chauffage des bâtiments. Les aliments sont dosés et distribués dans les mangeoires automatiquement. Les poules pondeuses sont dans des cages de 50 cm^2 reliées en batteries superposables, et un bâtiment peut accueillir jusqu'à 5 000 poules. Un tapis roulant récolte les œufs et les achemine vers un centre de tri où ils sont lavés, calibrés et emballés. Un autre tapis ramasse la fiente qui est séchée pour servir d'engrais. L'élevage de poulets de consommation se fait au sol, sur de la paille. Les œufs sont couvés artificiellement et les poussins naissent dans d'immenses couvoirs. Ils sont abattus lorsqu'ils atteignent 1 ou 2 kg (entre six semaines et trois mois). L'aviculteur sélectionne les souches avicoles, surveille l'hygiène et l'alimentation, et, comme tout chef d'entreprise, il est soumis à des impératifs de rentabilité.

Apiculteur　▷

L'architecture des ruches varie d'un pays à l'autre mais le but est le même : abriter un essaim d'abeilles. Pour fabriquer le miel, les abeilles ont besoin du nectar des fleurs qu'elles récoltent dans leur jabot, puis qu'elles régurgitent dans les rayons de cire. Le goût et la couleur du miel dépendent de la miellée (nectar produit par une floraison) et ne sont pas les mêmes selon qu'il s'agit d'un champ de colza ou de lavande, de sapins ou d'acacias. L'apiculteur fait transhumer ses abeilles d'une miellée à l'autre, suivant les saisons, mais prend soin de retirer chaque récolte de miel séparément. Pour cela, il utilise un enfumoir afin d'être protégé des piqûres. Il extrait avec minutie le miel de son enveloppe de cire, puis il le met en pots. Le miel est un aliment naturel et sain, et si l'homme ne prend pas part à sa fabrication, le travail de l'apiculteur n'en est pas moins difficile.

Colombophile

Le pigeon voyageur est un oiseau de l'ordre des colombiformes *(Columba),* et dérive, comme toutes les variétés de pigeons domestiques, du pigeon biset. Son vol est rapide et ses roucoulements modulés dans les notes basses. Voyageur intrépide et sûr, il représente un moyen de transmission utilisé depuis toujours. Il a la faculté, à quelque distance qu'on l'emmène, de revenir vers son pigeonnier. Si, dans bien des régions, l'élevage des «coulons» est un passe-temps, dans certains secteurs d'activité c'est un métier. Les armées ont leurs pigeons voyageurs, car on sait qu'en cas de conflit, les ondes radio-électriques peuvent être perturbées, les installations détruites. Mais dans le civil, l'utilité des pigeons a été redécouverte. Ils sont élevés pour venir en aide aux services hospitaliers en cas d'urgence. Ils transportent des sérums ou des échantillons de sang à analyser dans des petits tubes de quelques grammes. Leur trajectoire aérienne est beaucoup plus rapide que celle de la route, et fait gagner un temps précieux et souvent vital. Un colombier abrite plusieurs dizaines de pigeons qui sont à la garde et aux soins du colombophile.

Responsable　△
de jardin zoologique

Le jardin zoologique est un monde à part où les habitats de tous les animaux sauvages que l'on peut y rencontrer sont reconstitués : jungle, savane, désert, banquise. Pour chaque animal, les conditions de vie qui lui sont habituelles en pleine nature sont respectées afin qu'il se maintienne en bonne santé et se reproduise. C'est grâce à l'étude de leur environnement, de leurs mœurs et de leur alimentation, plus beaucoup de patience, qu'il a été possible de faire naître des bébés pandas et des bébés chats sauvages, entre autres. Un zoo est un lieu plein d'enseignements qui attire aussi bien les adultes que les enfants. Cela implique une administration experte et complexe qui inclut la vente des billets d'entrée et la sécurité des visiteurs, les commandes de nourriture pour tous les animaux et la distribution à des heures précises, les soins à donner, le nettoyage des litières et des bâtiments. L'administrateur, assisté de zoologues et de vétérinaires, est entouré d'un nombreux personnel, techniciens et ouvriers, dont le travail le plus important se fait en dehors des heures d'ouverture. Travailler dans un zoo, c'est aimer les animaux, du lion au serpent et du daim au vautour, s'intéresser à leur mode de vie, les comprendre et veiller sur eux sans relâche. Un métier de responsabilités, à tous les niveaux, dans lequel l'expérience ne peut s'acquérir qu'en ayant le «don» au départ.

La médecine

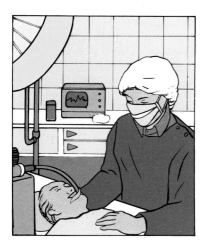

Anesthésiste △

Pour opérer un patient, celui-ci doit être anesthésié (endormi). L'anesthésie consiste à le priver de sa sensibilité partiellement ou complètement afin qu'il ne souffre pas. Au cours d'une opération, il est très important que le cœur et la respiration du malade soient surveillés constamment. Cette tâche délicate incombe au médecin anesthésiste. Il endort le malade, soit par inhalation de gaz, soit par injection intraveineuse selon la longueur du temps prévu pour l'intervention. Puis, au moyen d'un appareillage électronique sophistiqué, il contrôle les réactions et les fonctions vitales du patient pendant toute la durée de son inconscience. Il doit aussi parer à une allergie possible et s'occuper de la réanimation. Une anesthésie locale nécessite moins de moyens : elle s'obtient par injection locale, généralement dans le tronc nerveux de la région à insensibiliser. L'anesthésiste travaille exclusivement dans les hôpitaux ou cliniques, où il est indispensable.

Médecin généraliste

Pour devenir médecin, il faut faire de longues études et de nombreux stages dans les services hospitaliers. Le corps humain est complexe, et il est indispensable de tout savoir sur sa physiologie et son anatomie, sur les maladies et les lésions qui peuvent l'assaillir. Le médecin généraliste, c'est le médecin de famille auquel on a recours lorsqu'on ne se sent pas bien, c'est aussi le médecin de campagne qui se déplace pour répondre à un appel angoissé. Sa tâche est difficile, car, quelle que soit la maladie ou les blessures dont souffre son patient, il est seul à pouvoir juger de la gravité du mal, pour décider s'il faut l'envoyer chez un spécialiste ou le faire transporter à l'hôpital. Son rôle est humanitaire et social, et demande un grand dévouement.

Médecin spécialiste △

Après leurs études, de nombreux jeunes médecins optent pour une spécialisation. Pour les connaître à fond, les diverses branches de la médecine exigent encore un long apprentissage. Le diagnostic (identification de la maladie) est très important, et les méthodes de soins évoluent avec les découvertes de la recherche scientifique. Le spécialiste exerce son métier dans les hôpitaux ou dans un cabinet médical en ville. Ce sont le dermatologue, l'urologue ou le gynécologue, l'oculiste ou l'oto-rhino-laryngologue, le neurologue, ou encore le rhumatologue, que l'on va voir pour soigner une région particulière de son corps. Certains se spécialisent dans un seul organe ou une seule maladie — le cardiologue (cœur), le phtisiologue (tuberculose) — ou dans un âge déterminé : le pédiatre (spécialiste des enfants) ou le gérontologue (spécialiste des personnes âgées). Le médecin spécialiste doit fournir un effort continuel de mise à jour des techniques et de la documentation pour se tenir au courant des découvertes réalisées dans les laboratoires et les hôpitaux du monde entier.

Chirurgien ▷

La chirurgie demande autant de facultés intellectuelles que d'habileté manuelle. Il s'agit là d'intervenir matériellement sur un organe ou un membre, de soigner ou de recoudre des plaies... L'être humain est fragile et exposé à toutes sortes de blessures accidentelles, de déchirures (sport), de fractures, de tumeurs, qu'il faut réparer, suturer, réduire ou extraire. Le chirurgien opère souvent dans un domaine particulier de la médecine, organes internes, cerveau (neurochirurgie) ou extrémités (la chirurgie de la main est très délicate). La chirurgie esthétique remédie aux défectuosités physiques (accidentelles ou naturelles), la chi-

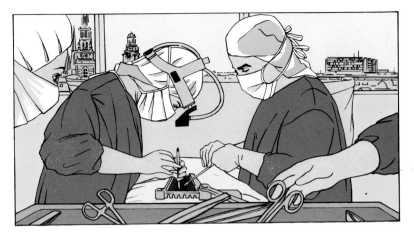

rurgie dentaire remodèle la mâchoire des accidentés de la route. La recherche procure au chirurgien des instruments de plus en plus perfectionnés et performants. Ainsi la microchirurgie permet d'atteindre les vaisseaux sanguins et les nerfs les plus petits, et les

possibilités de greffes d'organes sont en continuelle augmentation. Les interventions chirurgicales se font en milieu hospitalier, dans des salles d'opération aseptisées. Le chirurgien est secondé par une équipe qualifiée et attentive à ses moindres gestes.

Radiologue ▷

La radiologie est une branche importante de la médecine, qui permet, au moyen des rayons X (radiographies), de faire un diagnostic, c'est-à-dire d'identifier une maladie. Mais dans ce domaine, la recherche a fait un bond prodigieux en avant. Premièrement avec la découverte de la scanographie (scanner) qui donne la possibilité de visualiser sur écran n'importe quelle partie de l'intérieur du corps en la «découpant» tranche par tranche, et ainsi de mieux «lire» le

corps humain. Pourtant des techniques nouvelles non irradiantes prennent l'avantage sur l'utilisation des rayons X. Ce sont : l'échographie, selon le principe d'ondes ultra-sonores qui se réfléchissent différemment suivant les tissus traversés, et la résonance magnétique nucléaire, qui transmet sur l'image des plans de coupe à partir des signaux recueillis par les noyaux des atomes d'hydrogène. L'échographie, non traumatisante, est ainsi couramment utilisée de nos jours pour la surveillance des grossesses. La révolution de l'imagerie médicale s'est faite grâce à l'ordinateur. C'est aussi l'outil de tra-

vail du radiologue, qui ajoute à ses compétences médicales celles d'un technicien.

Psychiatre

La santé mentale est aussi importante que la santé du corps, mais d'une approche beaucoup plus subtile. Ce qui se passe à l'intérieur de l'encéphale (cerveau) se révèle être d'une extraordinaire complexité. Si l'on a su localiser les différents

centres cérébraux et connaître leur incidence sur les mouvements volontaires et la sensibilité consciente, l'activité psychique reste encore difficile à cerner. Les maladies mentales qui affectent l'homme, à des degrés divers, sont nombreuses et d'origines multiples, parfois obscures. Elles peuvent être bénignes ou irréversibles. C'est le rôle du psychiatre d'en déceler les

causes et de les guérir, ou du moins d'en atténuer les souffrances. La chimiothérapie (soins par les médicaments) a fait des progrès inestimables dans ce sens. Le psychiatre est un médecin spécialiste dont les études s'étendent sur un grand nombre d'années. Il se forme aux diverses tendances de la psychologie et doit aussi apprendre à écouter, deviner, comprendre.

L'aide médicale

Laborantine ▷

Les écoles de laborantines préparent aux diverses manières de pratiquer les analyses et à la manipulation des appareils, mais l'expérience est irremplaçable pour acquérir la dextérité et le coup d'œil qu'exige le métier. La laborantine travaille dans un laboratoire médical ou pharmaceutique, ou dans un centre de recherches, sous la direction de médecins ou de techniciens spécialistes. Les portes des laboratoires industriels peuvent également s'ouvrir devant elle suivant sa spécialisation et ses connaissances en biologie, en bactériologie ou en chimie. Et ses compétences peuvent lui permettre de devenir technicienne d'analyses. Dans tous les domaines, médicaux et scientifiques, les analyses sont de plus en plus affinées par les nou-

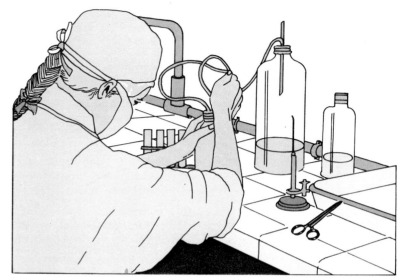

velles méthodes de recherche et les appareils de mesure et microscopes électroniques en continuel perfectionnement. La laborantine est amenée à travailler sur ordinateur autant qu'avec les tubes à essai et les réactifs, et l'entretien de ces appareils informatisés dont elle a la charge lui demande une formation

technique accrue. Mais c'est avant tout la minutie qu'elle apporte au travail d'analyse qui est importante, car de l'exactitude des résultats peut dépendre la vie d'un malade ou la salubrité d'un produit. Une bonne laborantine trouvera toujours un emploi à la mesure de son savoir.

Infirmière ▷

Le malade sur son lit d'hôpital est une personne provisoirement diminuée qui a besoin d'aide, de soins et de réconfort. C'est ce que lui apporte l'infirmière, cette indispensable auxiliaire médicale. Laver, panser, veiller les patients, surveiller les appareils qui les relient à la vie, faire les piqûres, appliquer les traitements prescrits par les médecins, ses tâches sont multiples. Elles ne sont pas toujours agréables et nécessitent de la force de caractère et du dévouement. Son diplôme confère à l'infirmière la charge de plusieurs malades. Ses

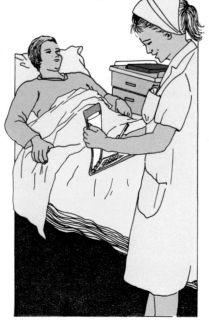

compétences et une formation complémentaire peuvent l'amener à diriger un service hospitalier, ou lui permettre de devenir instrumentiste ou réanimatrice en salle d'opération. Elle peut encore exercer son métier dans les dispensaires ou les entreprises. Comme travailleuse libre, elle donne des soins à domicile, fait des piqûres, des vaccins, des pansements, des traitements d'urgence, ou choisit d'être itinérante et de visiter ses malades. Mais le métier n'est pas réservé aux femmes ; les infirmiers travaillent comme ambulanciers et dans certains secteurs hospitaliers où leur force est appréciée autant que leurs qualifications.

Puéricultrice ▷

L'enfant qui vient au monde est totalement désarmé et nécessite beaucoup de soins pour prendre un bon départ dans la vie. De nombreuses personnes se consacrent à la santé des tout-petits, de la sage-femme qui l'aide à naître au pédiatre qui le suit pendant les premières années. La puériculture comprend tous les soins apportés aux nouveau-nés et aux enfants en bas âge, ainsi que les méthodes propres à assurer leur développement et leur croissance. La puéricultrice est une infirmière spécialisée qui s'occupe des nourrissons dans les pouponnières et les crèches. Elle assiste le pédiatre et donne aux enfants les soins prescrits. Dans les centres de protection maternelle, elle conseille les mamans, leur apprend les tours de main pour laver, changer, préparer le biberon, leur indique les précautions à prendre pour que l'enfant reste en bonne santé. L'aide qu'elle dispense avec jugement et habileté est précieuse et indispensable à la petite enfance.

Diététicienne

Le rôle de la diététicienne est très important dans les hôpitaux, les maternités, les homes pour personnes âgées ou les établissements de cure. Les traitements des malades s'accompagnent généralement d'un régime qu'il faut respecter scrupuleusement. La diététicienne établit les menus suivant les indications du médecin ou en se basant sur la feuille de renseignements des patients. Les problèmes de digestion sont fréquents chez les personnes qui doivent rester alitées longtemps. D'autres peuvent avoir du diabète ou de la tension artérielle. Avant et après une intervention chirurgicale, l'opéré est soumis à une diète qui lui évite des vomissements douloureux. Le travail de la diététicienne, c'est de veiller au régime alimentaire des nombreux malades qui lui sont confiés, de suivre leur traitement, de leur parler, de les persuader parfois... Un métier qui exige de la discipline et de la bonne volonté. Le diplôme s'obtient après quelques années d'études, mais c'est l'expérience qui apporte le doigté nécessaire, notamment sur le plan pédagogique.

Pharmacien ▽

Les études de pharmacie s'étendent sur plusieurs années et comprennent une formation biologique et chimique poussée. Après l'obtention de son diplôme, le pharmacien peut acheter une pharmacie ou diriger celle d'un hôpital. Sa parfaite connaissance des innombrables médicaments lancés sur le marché par des industries pharmaceutiques concurrentes, lui permet de vendre ses produits avec discernement. Il est rare de ce fait qu'il soit amené à composer lui-même des préparations, comme c'était le cas autrefois, mais sa responsabilité n'en est pas moins engagée pour autant. Surtout en ce qui concerne les produits toxiques qu'il ne délivre que sur ordonnance et qu'il enregistre, selon les normes d'un tableau officiel de la santé publique. Il peut aussi se spécialiser en phytothérapie (soins par les plantes médicinales). En dehors de la vente, son métier consiste à conseiller ses clients, à leur indiquer le médicament qui peut les soulager, ou à les diriger vers un médecin selon la gravité des cas. Dans certaines situations urgentes, il est habilité à prodiguer les premiers soins. La direction d'une pharmacie est un travail de commerçant, qui laisse pourtant intact le rôle social du pharmacien.

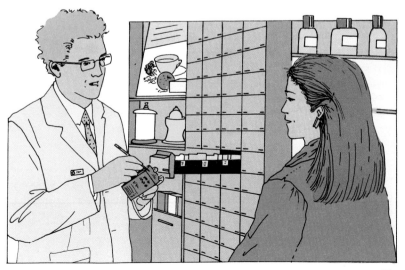

L'aide paramédicale

Orthésiste-prothésiste ▷

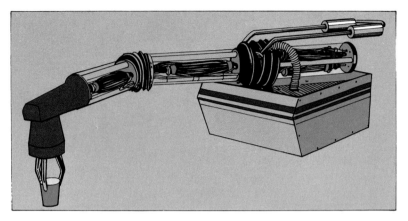

Les chercheurs scientifiques, ingénieurs, médecins et roboticiens, essaient de trouver des moyens de plus en plus perfectionnés pour aider les handicapés physiques à recouvrer une certaine autonomie. Déjà, il existe dans quelques centres de rééducation « la machine à marcher » à commande hydraulique coordonnée par ordinateur, qui permet, pour un moment, de remettre debout les paraplégiques. Mais en attendant de pouvoir doter tous les handicapés de membres artificiels commandés par microprocesseurs, ou de prothèses robots branchées directement sur le système nerveux — et c'est pour demain —, la technique a apporté d'appréciables améliorations aux prothèses classiques. Les formes et les matériaux changent, les mécanismes sont plus sophistiqués. L'orthésiste-prothésiste est un technicien supérieur qui se charge de la conception des prothèses, courantes ou particulières, dont ont besoin les handicapés. Sur les indications d'une ordonnance médicale, il reçoit le patient dans une salle d'examen pour prendre ses mesures exactes afin que l'appareil soit en harmonie avec son corps et trouve les points d'appui corrects. A partir de ces données, il dessine la prothèse. Celle-ci est réalisée en laboratoire par des techniciens prothésistes. Elle est ensuite adaptée sur le patient par l'orthésiste qui s'assure qu'elle est parfaitement en place et qu'elle ne provoque pas de gêne. C'est un travail qui demande une grande précision.

Ergothérapeute   ▷

La réadaptation physique et psychologique des handicapés moteurs et des malades mentaux est d'une importance majeure. Elle leur permet de se réinsérer dans la société et de mener une vie aussi normale que possible. L'ergothérapie (de *ergo* - travail et de *thérapie* - soins) est une méthode de traitement par occupation manuelle qui a prouvé son efficacité par les résultats obtenus. L'ergothérapeute exerce son activité dans les services hospitaliers ou les centres de rééducation, quelquefois au domicile des malades, toujours sous contrôle médical. Le mode gestuel permet d'attirer l'attention du malade vers un but précis, un objet à confectionner par exemple, dont la réalisation lui apportera satisfaction et confiance en lui. L'atelier d'ergothérapie donne à chacun la possibilité de choisir une activité préférée (poterie, tissage, menuiserie) et de la réaliser en groupe, le plus souvent. L'ergothérapeute soigne surtout des enfants, mais aussi de nombreux adultes. Sa tâche n'est pas aisée ; elle exige une formation psychologique et pédagogique, de la force de caractère et une grande patience. D'autres spécialistes soignent les troubles plus profonds : le psychothérapeute, (troubles caractériels), le psychomotricien (handicapés psychomoteurs).

Orthophoniste

L'orthophoniste est un spécialiste du langage et de la voix. Il apprend aux enfants sourds et aux jeunes malentendants à parler et à écrire. Un enfant qui est sourd en venant au monde ou qui le devient par suite d'une maladie, même partiellement, est un enfant handicapé qui ne peut pas vivre ni aller en classe normalement. C'est alors un institut spécialisé qui se charge de son éducation, où des spécialistes de la parole vont lui apprendre à utiliser sa voix. La rééducation de la phonation (production de la voix) comprend un ensemble de méthodes qui ont pour but de développer une fonction, saine mais non utilisée, pour compenser une fonction déficiente, et ainsi permettre la réinsertion en milieu normal. Le traitement des troubles de l'élocution demande une longue patience et de hautes qualités psychophysiques de la part de l'orthophoniste. Il exerce en travailleur libre, sur prescription médicale, ou dans les services hospitaliers et les centres médico-pédagogiques, aux côtés des oto-rhino-laryngologues et des neurologues.

Kinésithérapeute ▽

La kinésithérapie est à la fois une méthode de massages médicaux et une gymnastique corrective utilisée pour la rééducation des muscles et des ligaments blessés ou paralysés. La technique de traitement consiste à mobiliser les parties du corps endommagées par des mouvements passifs (massages) ou actifs (exercices sous contrôle du praticien) pour rendre l'usage d'une fonction, d'un membre ou d'un geste à un malade ou un blessé. Le kinésithérapeute est un praticien diplômé qui travaille sur ordonnance médicale. Il possède une parfaite connaissance de l'anatomie et exerce professionnellement le massage et la gymnastique thérapeutiques pour soulager et soigner les douleurs physiques. C'est un travail d'aide important qui contribue à redonner courage à d'innombrables accidentés. La kinésithérapie est aussi employée chez les sportifs pour reposer et détendre les muscles endoloris.

Assistante sociale ▷

Les problèmes humains sont nombreux, et tenter de les résoudre est autant une vocation qu'une profession. La tâche de l'assistante sociale est souvent difficile, elle se heurte à l'incompréhension et au manque d'équipements. L'aide qu'elle apporte aux individus, aux familles ou aux collectivités n'est pas que matérielle, mais aussi morale et psychologique, et demande une disponibilité constante. Que ce soit dans le secteur public ou le secteur privé, ou qu'elle se spécialise dans une sorte de problèmes, elle est toujours prête à répondre à un appel, à donner un conseil, à faire une démarche auprès de l'administration, de l'école ou de l'entreprise pour soutenir les gens dans le besoin. Elle se rend à leur domicile ou les reçoit dans son bureau, et travaille en équipe avec les médecins, les psychologues, les puéricultrices, pour améliorer leurs conditions de vie ou les aider à mieux s'adapter. C'est un métier dur mais passionnant, dans lequel les échecs sont compensés par de grandes satisfactions.

L'enseignement

Professeur de lycée ▷

Pour pouvoir enseigner dans un établissement du second degré, de la classe de sixième à la classe de terminale, il faut être en possession du certificat d'aptitudes pédagogiques à l'enseignement secondaire (C.A.P.E.S.) ou de l'agrégation pour l'une ou l'autre des disciplines, littéraires ou scientifiques. Les études qui y mènent demandent plusieurs années de faculté. Le professeur de lettres, de mathématiques, d'histoire et géographie, de langues ou de sciences, doit non seulement connaître la matière qu'il enseigne, mais encore savoir la transmettre aux élèves qui l'écoutent et leur donner le goût de l'étude. Il lui faut trouver le sujet qui éveille l'intérêt, conseiller et guider, comprendre la personnalité de chaque élève. C'est par sa pré-

sence et ses qualités d'observation, de jugement et d'imagination, que le professeur peut donner un élan positif à l'esprit collectif de sa classe. Spécialiste d'une matière, le nombre d'heures de ses cours est réduit, mais l'information, la préparation des cours et les correc-

tions des copies représentent une grosse somme de travail. L'adaptation aussi, car les idées et les techniques changent, l'ordinateur bouleverse le système éducatif, et sa difficile tâche, c'est de former pour demain les hommes d'une société nouvelle.

Conseiller d'orientation

Plus les matières se diversifient et se spécialisent, plus il est important de faire le choix d'un métier, selon ses goûts et ses capacités, aussi tôt que possible. Le rôle du conseiller d'orientation n'est pas d'imposer une voie à suivre, mais bien de guider les jeunes gens et les jeunes filles vers le secteur d'études ou d'apprentissage qui peut le mieux leur convenir. Pour cela, il prend en compte le dossier scolaire des élèves, l'appréciation des professeurs, parfois l'avis du médecin des écoles et de l'assistante sociale, et

s'entretient avec les parents. Il discute longuement avec les élèves ou le groupe d'élèves qui viennent le voir, leur fournit de la documentation, organise des séances d'information. L'orientation occupe une place importante dans la formation et l'éducation. Le conseiller sert de lien entre l'école et la vie active, il fait prendre conscience des changements qui s'opèrent dans le monde extérieur, des nouvelles techniques qui bouleversent tous les domaines. Il ouvre des voies possibles avec une juste évaluation des moyens et des difficultés, il écoute et encourage. Un métier très attachant qui exige psychologie, sens de l'observation et sens social.

Professeur technique adjoint ▽

L'enseignement technique et professionnel (industriel, commercial, artistique) comporte de nombreuses sections. Chaque métier s'apprend par des cours théoriques et des cours pratiques. Le professeur technique adjoint, ou P.T.A., est un technicien et un pédagogue chargé de l'enseignement pratique dans les lycées techniques et les écoles d'ingénieurs. Il travaille en atelier avec ses élèves qu'il initie aux secrets d'un métier. Il commente et explique, à l'aide de croquis et de démonstrations, les exercices qu'il a préparés avec soin. Il distribue l'outillage, surveille les travaux, corrige les erreurs et donne des conseils, tout en veillant à la sécurité et à la propreté. Il s'occupe aussi du dépannage, de l'entretien du matériel. Les nouvelles techniques, en constante évolution, l'obligent à réadapter continuellement son enseignement. Mais si l'étude des plus récents procédés et la préparation des cours lui prennent beaucoup de temps, son travail d'initiateur est passionnant.

Instituteur

Les premières années de l'instruction et de l'éducation d'un enfant sont déterminantes et peuvent influencer sa vision du monde pour toute sa vie. Le rôle pédagogique de l'instituteur est de ce fait primordial pour le devenir de la jeunesse. Après trois années d'études et de stages, l'instituteur, ou l'institutrice, se voit confier la charge d'une classe du premier degré (primaire) dans l'enseignement public ou privé. Le nombre et l'âge des élèves varient en fonction des besoins et de l'endroit où il exerce. Il enseigne la base de toutes les matières scolaires, selon un programme établi, mais qu'il soit en ville ou dans une campagne éloignée, sa responsabilité réside dans l'approche qu'il fait de chacune d'elles. De l'éveil intellectuel qu'il saura susciter chez ses élèves, dépendra leur formation future. L'esprit d'initiative, le goût de la recherche, le sens de l'observation, il ne peut les transmettre qu'en les possédant lui-même. C'est un métier qui requiert de hautes qualités psychologiques, de la résistance physique et une grande ouverture d'esprit.

Jardinière d'enfants △

Le passage de la cellule familiale à la première vie communautaire est un moment important de la petite enfance. Pour être éducatrice de jeunes enfants, il faut d'abord les aimer, puis posséder les aptitudes et les qualités humaines nécessaires, auxquelles s'ajoutent l'habileté manuelle et le sens artistique. Sa tâche est d'assurer le développement physique et mental des petits entre trois et six ou sept ans : l'âge de l'ouverture vers les autres et des premières manifestations de la personnalité. La jardinière d'enfants les protège dans leur découverte du monde, les familiarise avec les formes et les couleurs, leur apprend les merveilles de la nature et celles des machines, et donne des réponses justes aux mille questions qu'ils posent. Elle les entraîne à s'exprimer par le chant, le dessin et les jeux ; elle surveille, instruit, console. Veiller à l'épanouissement des enfants est une mission de confiance qui demande de la gaieté, de l'intuition et beaucoup de patience.

La justice

Juge ▷

Le juge est un magistrat qui rend la justice au nom de l'État. Il a autorité pour appliquer les lois de la juridiction judiciaire à l'encontre des autres hommes et la charge de faire respecter les droits de chacun, ceux des coupables comme ceux des victimes. L'appareil judiciaire est un vaste ensemble de fonctions diverses et complémentaires qui comporte plusieurs tribunaux : le tribunal d'instance qui règle les conflits entre les personnes, le tribunal correctionnel et la cour d'assises qui répriment les délits et les crimes, la cour d'appel qui révise les jugements litigieux, et la cour de cassation qui peut annuler un jugement en dernier ressort. Dans les affaires civiles, le juge d'instance rend seul son jugement. Dans les affaires pénales ou criminelles, un juge d'instruction est chargé, dans un premier temps, de rassembler les pièces du dossier, de réunir des preuves, d'interroger les témoins. Lors du jugement, c'est le magistrat du siège, entouré de la cour et du jury, qui prononce le verdict. Le juge de l'application des peines a la responsabilité du condamné après le jugement. En ce qui concerne les mineurs, ce sont le juge des enfants et le juge des tutelles qui s'occupent de leurs cas. Après ses études de droit, l'étudiant qui s'oriente vers la magistrature suit une formation judiciaire pendant laquelle il est rémunéré. Rendre la justice est une fonction qui exige une parfaite intégrité et un haut sens moral, ainsi qu'une stricte objectivité, quels que soient les personnes et les faits.

36

Secrétaire-greffier △

Le tribunal est une vaste organisation administrative parfaitement réglée autour des magistrats qui y siègent. Les audiences ne peuvent avoir lieu que si elles sont minutieusement préparées à l'avance, les convocations envoyées, les papiers en ordre. Celui qui veille à la bonne marche de cette mise en place est le secrétaire-greffier. Il dirige les services administratifs du siège et les services du greffe. Les minutes, textes des arrêts prononcés par les juges, sont conservées et classées par ses soins, comme tous les autres actes juridiques, et il tient à jour les archives du tribunal. Avant chaque audience, il consigne les déclarations concernant la procédure et s'assure de la présence des témoins. Pendant la durée du procès, il note le déroulement des faits dans le détail, puis il rédige la minute du jugement, le verdict, et s'occupe de l'expédition des copies. Le greffier est un auxiliaire précieux de la justice et des magistrats. C'est un métier intéressant par la diversité des affaires traitées et des personnes en présence.

Juriste

Les études de juriste ouvrent des possibilités de carrière dans les nombreux domaines régis par le droit. Le commerce, les affaires sont partout confrontés aux lois, et la complexité de la législation multiplie le besoin de spécialistes. Les implications légales qui se rattachent à la création d'une société, au bouclement des comptes en fin d'exercice, à la collaboration avec des partenaires ou les difficultés de gestion, ont une incidence juridique. Ainsi, le conseil juridique est un spécialiste du droit dans les affaires; le civiliste, un spécialiste du droit civil en ce qui concerne les personnes et la société; le juriste d'entreprise, un spécialiste des droits de gestion et de l'économie.

Dans l'administration, on trouve l'administrateur judiciaire, requis par le tribunal de commerce en cas de faillite, et le commissaire-priseur, chargé de la vente aux enchères publiques des biens mobiliers. Le métier de juriste mène dans tous les secteurs, publics ou privés, à des activités particulièrement intéressantes et riches en problèmes à résoudre.

Avocat ▷

L'avocat exerce une profession libérale, donc indépendante, qui lui permet de choisir les personnes ou les causes qu'il veut défendre. Sa fonction première est celle de défenseur. Il assiste ses clients appelés à comparaître devant un tribunal et plaide en leur faveur, qu'ils soient plaignants ou accusés. Il rédige les actes de procédure qui lui accordent le droit d'instruire leur affaire devant les juges, et prépare ses plaidoiries avec soin, sachant qu'il devra se battre oralement contre l'avocat général et persuader les jurés. Il rend visite à ses clients lorsqu'ils sont incarcérés ou les reçoit en consultation dans son cabinet. Comme conseiller juridique, il représente ses clients, jouant souvent le rôle d'intermédiaire entre deux parties, et règle les différends sans aller en justice. Pour

être avocat, il faut posséder une licence en droit ou un doctorat, être inscrit au barreau et admis au conseil de l'ordre des avocats. Certains cabinets juridiques regroupent plusieurs avocats spécialisés dans différents domaines, qui travaillent en équipe. C'est une bonne manière de débuter. Il existe aussi des centres de consultations gratuites, auxquels participent de nombreux jeunes avocats, pour aider et conseiller les plus démunis. Il faut de hautes qualifications et de grandes qualités humaines pour exercer ce métier de prestige.

Notaire

Le notariat est une charge de grande responsabilité. Tous les textes et les conventions, les contrats de vente, de legs, de concession, de crédit ou de constitution de société, qui doivent avoir un caractère d'authenticité se préparent et se signent chez le notaire, qu'ils soient d'intérêt privé ou soumis à l'autorité publique. Il en est aussi le dépositaire. Par sa connaissance des lois qui régissent les biens, les transactions et les successions, il peut avoir auprès de ses clients un rôle de conseiller et de gérant de fortune fort important. Les formalités sont toujours longues, souvent compliquées, ce qui l'amène à avoir des contacts fréquents avec ses clients, à connaître leurs réactions, à éviter les disputes. Le notaire est secondé dans son travail par des collaborateurs efficaces, les clercs de notaire, qui prennent en charge certains dossiers, et par l'informatique qui allège considérablement les travaux d'écriture, de comptabilité et d'archivage. C'est un métier proche du monde des affaires et riche en contacts humains.

La sécurité - 1

Douanier   ▷

La surveillance des frontières est une partie intégrante de la sécurité d'un pays et de l'ensemble de ses citoyens. Le contrôle des gens et des marchandises est assuré par l'administration des douanes, tant à l'intérieur du pays (service des bureaux) qu'aux frontières (service des brigades). Si certaines nations ont assoupli leurs échanges, en Europe notamment, il n'en est pas de même pour d'autres. Mais partout subsistent les taxations de marchandises et l'interdiction de certaines d'entre elles (drogue, devises) dont le trafic est sévèrement contrôlé et sanctionné. Le douanier est toujours en uniforme. Son travail consiste à rechercher les infractions, à poursuivre les fraudeurs, à diriger vers les

bureaux les marchandises soumises à une tarification. S'il a les aptitudes physiques nécessaires, il peut faire partie des unités spécialisées (skieurs, plongeurs, motocyclistes). En dehors des postes fixes, les brigades douanières sont équipées de

matériels techniques sophistiqués (radars, postes émetteurs-récepteurs, jumelles à infrarouge) et de moyens de locomotion performants (vedettes garde-côtes, hélicoptères). Être douanier, c'est être responsable et vigilant.

Gendarme   ◁

La gendarmerie se divise en plusieurs groupements et ses brigades, disséminées sur tout le territoire, assurent la sécurité et l'ordre public. Les missions de surveillance, de prévention et de secours sont très diversifiées. Les gendarmes sont présents dans les villes et les campagnes, sur la mer et les lacs, dans les airs, en montagne, et peuvent intervenir à tout moment grâce aux moyens efficaces dont ils disposent : vedettes rapides, hélicoptères, voitures, motos. Le gendarme est un militaire de carrière. Sa tâche principale est de proté-

ger la population et de lui venir en aide, dans son travail quotidien comme au cours des vastes opérations de secours et d'assistance lors de catastrophes. Selon ses aptitudes, il peut faire partie d'une équipe spéciale, comme parachutiste alpiniste ou maître de chiens d'avalanches pour les secours en montagne, comme homme-grenouille ou maître nageur pour les secours en mer, ou comme « motard ». Le rôle du motard de gendarmerie est important sur les routes, tant pour prévenir que pour secourir, ou pour servir d'estafette d'accompagnement. Pour être gendarme, il faut un parfait équilibre physique et moral ainsi que du dévouement.

Inspecteur de police ▽

L'inspecteur est un policier en civil qui assiste dans ses fonctions le commissaire de l'une des brigades de la police judiciaire, de la sécurité publique, des renseignements généraux ou de la surveillance du territoire. Le rôle de chacune de ces polices est bien délimité, sauf dans des cas précis de collaboration. Pour entrer dans la police, le futur inspecteur doit être bachelier et avoir des connaissances techniques et juridiques. Chargé de veiller à la sécurité de chacun et au maintien de l'ordre public, sa tâche est d'enquêter sur les circonstances des méfaits commis et de rechercher les coupables. Ses investigations l'amènent à recourir aux services de l'identité judiciaire, aux archives de la police, à se renseigner auprès des indicateurs et à interroger les témoins. Les laboratoires de recherche et les médecins légistes lui apportent parfois un supplément d'informations, et dans certains cas, il a recours à Interpol.

Gardien de la paix ▽

Le gardien de la paix est un agent en uniforme chargé de maintenir l'ordre public et de protéger les per-

sonnes et les biens dans les zones urbaines. Les missions de police municipale sont nombreuses : veiller à la sécurité routière et venir en aide aux automobilistes, prévenir les délits et rechercher les malfaiteurs, intervenir et porter secours en cas d'appel. Les gardiens de la paix dépendent de la Sûreté nationale, sous l'autorité du préfet ; ils sont assermentés et ont le pouvoir de dresser des procès-verbaux. Après son admission au concours de la police, le jeune agent peut choisir de suivre la formation des corps urbains ou celle des corps de C.R.S. (Compagnies républicaines de sécurité) s'il aime les déplacements fréquents. Comme C.R.S., il peut devenir agent de montagne (surveillance et secours), agent motocycliste (police de la route), maître nageur-sauveteur (sécurité des plages), ou moniteur de sport dans les centres de loisirs pour jeunes. Mais quelle que soit son option, son rôle n'est pas toujours facile, parfois ingrat et souvent mal compris ; il exige une bonne santé physique et mentale et du sens moral.

Sapeur-pompier ▷

Le sapeur-pompier est d'abord un soldat du feu, mais ses activités sont nombreuses et variées. Il intervient dans n'importe quel accident ou catastrophe : incendies ou effondrements d'immeubles, incendies de forêts, glissements de terrain, inondations, marées noires. Il secourt les personnes en difficulté (malades, blessés, tentatives de suicide), règle les appareils défectueux de chauffage ou d'aération, capture les animaux échappés, déblaie, nettoie, et donne des consignes de sécurité. En dehors des nombreuses interventions auxquelles il participe chaque jour, il assume l'entretien du maté-

riel. Pour devenir sapeur-pompier, il faut suivre un stage d'instruction qui comprend une formation théorique et un entraînement physique poussé. Vient ensuite une spécialisation en mécanique, en hydraulique ou en plongée. C'est un métier dangereux qui demande de la résistance physique et nerveuse, et du courage.

La sécurité - 2

Surveillant ▷
d'établissement
pénitentiaire

Pour se protéger, la société se munit de lois qui, pour des raisons diverses, sont transgressées par certains. Ceux qui sont appréhendés et condamnés se retrouvent dans des établissements pénitentiaires, des maisons d'arrêt, des maisons centrales ou des centres spécialisés, selon le régime qui leur est réservé. Et l'administration pénitentiaire utilise un personnel nombreux pour organiser et surveiller ces

lieux de détention. La garde des détenus est confiée au surveillant qui s'occupe du déroulement de l'emploi du temps et veille à la discipline. Il escorte les prisonniers de leur cellule à l'atelier, au réfectoire, à la promenade, et de nouveau à leur cellule. La surveillance est continuelle, de nuit comme de jour, et l'univers carcéral est dur à supporter. Il faut éviter les évasions et les suicides, maîtriser les plus réfractaires. Il faut savoir commander, dissuader, persuader, apaiser. C'est un métier difficile qui exige de la psychologie et de la force physique.

Convoyeur de fonds ▷

Les fonds en espèces, encaissés ou délivrés au domicile des particuliers, les recettes des commerces ou des succursales bancaires acheminées vers une banque centrale, sont susceptibles d'éveiller la convoitise des malfaiteurs pendant leur transport. Pour en assurer la protection, les banques, les grands magasins, les organismes de paiement ou de recouvrement utilisent les services de gardes armés appartenant à des entreprises privées. Dans certains cas, le convoyeur de fonds se charge seul de veiller sur l'argent, en amenant jusqu'à destination une serviette enchaînée à son poignet. Dans d'autres cas, lorsqu'il s'agit de sommes très importantes, le transfert se fait par camion blindé surveillé par plusieurs hommes qui, au moment de la remise des sacs, se déploient dans un ordre précis. Un dispositif de sécu-

rité permet parfois d'accrocher et de faire glisser un coffre d'acier le long d'un fil métallique depuis la porte du camion jusqu'à celle de la banque. La difficile responsabi-

lité du convoyeur de fonds ne peut être assumée que par des hommes spécialement entraînés, vigilants et déterminés à se défendre contre une éventuelle agression.

Garde-vigile ▷

Le garde-vigile dépend d'une agence de police privée qui organise la surveillance de nuit de certains locaux. Les grands magasins, les entrepôts, les immeubles de bureaux et des usines sont déserts après les heures de travail et risquent d'être « visités » malgré le verrouillage des portes. Pour éviter les vols et les dommages, la garde de nuit est confiée à des vigiles armés. Ils font des rondes régulières pour vérifier les fermetures des portes, fenêtres et portails, atten-

tifs à toute trace, tout bruit suspect. Pourtant, de plus en plus d'entreprises importantes équipent leurs locaux d'une surveillance par télévision dont les caméras balaient chaque pièce, chaque couloir. Là, dans la salle de contrôle, se tient le vigile par télésurveillance, devant son « tableau de bord » surmonté d'une multitude d'écrans. La surveillance est grandement améliorée, puisque simultanée dans l'ensemble des bâtiments, mais elle exige des connaissances techniques en plus de l'entraînement spécifique du métier. Les risques sont tout autant présents et requièrent une attention de tous les instants.

Détective privé ▷

De son vrai nom, agent privé de recherches, il n'a pas grand-chose à voir avec l'image qu'en donnent les romans policiers. En fait, il s'occupe principalement de problèmes qui ne relèvent pas des services de la police officielle. Ses investigations sont avant tout d'ordre commercial et privé. Dans le cadre de la sécurité des entreprises, sa recherche de renseignements concerne aussi bien la sauvegarde d'un contrat d'exclusivité que la collecte de preuves pour une argumentation devant le conseil des prud'hommes. Il enquête sur un débiteur, sur un employé suspect. Dans l'intérêt des familles, il recherche des personnes disparues et veille sur des mineurs. Il exerce une profession indépendante et ses missions de recherches sont rémunérées par ses clients. Pour ouvrir un cabinet de police privée, il faut remplir les conditions de moralité stipulées par la loi. Certaines écoles étrangères préparent efficacement à cette profession, mais l'expérience acquise au cours de quelques années de service dans la police d'État reste la meilleure.

Physionomiste

Les métiers de la sécurité sont nombreux et divers. Certains sont moins connus que d'autres, comme c'est en général le cas pour celui de physionomiste. Il est enquêteur privé, attaché au service d'un grand hôtel, d'un casino ou d'un magasin à grande surface. Il regarde, surveille et utilise sa mémoire visuelle pour reconnaître entre cent un visage aperçu une fois. Son travail consiste à identi-

fier les indésirables, les interdits de jeux et les tricheurs, à démasquer les fraudeurs, les voleurs à l'étalage. Il se promène discrètement parmi les personnes présentes, et le cas échéant, use de son autorité sans attirer l'attention. C'est un métier qui demande une grande expérience, beaucoup d'intuition et des facultés mémorielles sûres. Il faut être capable de juger les gens sur leur seule expression ou leurs allées et venues, et être certain d'avoir affaire à un contrevenant pour l'appréhender, ce qui n'est pas toujours facile.

Administration communale et diplomatie

Bibliothécaire ▽

Les bibliothèques, nationales et privées, publiques ou spécialisées, détiennent toute la richesse du patrimoine culturel d'un pays. Pour rendre ce trésor accessible à tous, il faut les compétences du bibliothécaire qui connaît les ouvrages, les classe et en établit les catalogues, qui conseille les lecteurs et sait redonner vie aux plus anciens documents. Les bibliothèques, qu'elles soient scolaires ou universitaires, scientifiques ou commerciales, qu'elles soient celles d'œuvres sociales, d'entreprises ou de maisons de la culture, sont là pour être consultées par ceux qui ont besoin de se documenter, de s'instruire ou de se distraire. L'amour des livres est le privilège de tous, mais plus particulièrement celui du bibliothécaire chargé de leur sauvegarde. En plus des connaissances bibliographiques nécessaires, des connaissances en informatique sont de plus en plus utiles pour mettre sur ordinateur les programmes de classement.

Interprète △

L'interprétation d'un discours, c'est beaucoup plus qu'une traduction mot à mot. C'est permettre à des hommes de langue et de culture différentes de communiquer entre eux. L'interprète doit saisir un message oral, donc improvisé, l'analyser instantanément et le restituer avec toutes ses nuances dans une autre langue. Dans la traduction simultanée, utilisée surtout pour les conférences rassemblant un grand nombre de personnes et se tenant en plusieurs langues, l'interprète parle en même temps que l'orateur. Installé dans une cabine, il entend dans une langue et retransmet dans une autre les propos véhiculés par un équipement de transmission. Dans la traduction consécutive, convenant mieux à des réunions restreintes, techniques ou confidentielles, l'interprète écoute et prend des notes, puis restitue le message entier de l'un des participants, en y mettant fidèlement tous les éléments. Pour être interprète, il faut non seulement connaître les langues mais pouvoir participer à un débat sur n'importe quel sujet. Comme indépendant, et sur la foi de sa réputation, l'interprète peut être sollicité dans le monde entier. Comme permanent, il travaille le plus souvent dans les organisations internationales. Mais les possibilités d'emploi dépendent avant tout de ses combinaisons de langues, de l'expérience qu'il en a et de sa manière de s'exprimer. C'est un métier difficile qui exige un degré élevé de concentration, de la vivacité d'esprit, de la résistance nerveuse et une grande facilité d'élocution.

Secrétaire de mairie ▷

Le secrétaire de mairie est le principal collaborateur du maire. Il le seconde dans ses fonctions de représentant de la commune et d'agent du pouvoir central, responsable de l'exécution des lois, de l'état civil et du maintien de l'ordre. Il se charge de l'organisation de l'ensemble des services et dirige les employés municipaux, dont le nombre et les attributions varient selon l'importance de la commune. Il veille à l'application des directives du maire et de celles issues des délibérations du conseil municipal. Les écritures administratives, l'enregistrement des documents officiels, la tenue des registres, le recensement et les statistiques, ainsi que la préparation des réunions, font partie des tâches du secrétaire de mairie. Choisi par le maire pour ses compétences, il a toute sa confiance, et son rôle est important au sein de la commune. Dans les villes et les communes de plus de 5 000 habitants, il a le titre de secrétaire général et sa tâche est plus lourde, plus juridique.

Diplomate ▷

Les agents diplomatiques et consulaires ont pour mission de représenter leur pays à l'étranger et de défendre les intérêts de leurs concitoyens résidents ou de ceux qui y sont de passage. Les consulats comme les ambassades jouissent de l'extraterritorialité (territoire du pays représenté) et les agents sont couverts par l'immunité diplomatique. L'ambassadeur est un haut fonctionnaire, représentant de l'État, reconnu officiellement par les dirigeants de la nation qui le reçoit. Il est chargé de traiter au nom de son pays, les affaires qui intéressent les deux États. Pour cela, il est secondé par un secrétaire des Affaires étrangères, des attachés et des conseillers, ainsi que d'autres spécialistes, dont le chiffreur qui s'occupe des messages codés. Le rôle du consul est différent et réside principalement dans la protection et l'aide qu'il apporte aux ressortissants de son pays. Selon leur nombre et l'importance de la représentation, il y a des consulats dans différentes villes du pays, dans les endroits touristiques et les ports notamment. Le consul se charge des démarches administratives concernant les résidents. En outre, il est habilité à enregistrer les actes d'état civil (mariages, naissances, décès). Sa présence est importante pour tous ceux qui vivent en terre étrangère. Les carrières diplomatiques et consulaires s'ouvrent par concours aux diplômés de différentes branches.

Politologue

Le rôle du politologue auprès d'une mission diplomatique, est de contribuer à une meilleure compréhension de son pays de résidence. Les différences, tant des régimes politiques, des institutions publiques et des administrations, que des attitudes et des comportements individuels, influent sur les rapports entre États. Il est important que les relations de solidarité économiques, culturelles et politiques répondent à la nécessité de chacun, ou que soient trouvées des solutions aux difficultés. Le politologue utilise des techniques d'analyse (documents, débats, presse) et des méthodes statistiques (données numériques des habitants, des faits) pour faire ressortir les points de convergence ou de divergence, et d'en évaluer la portée et les résultats. Les renseignements qu'apporte un politologue sont aussi utiles dans beaucoup d'autres domaines : commerce, industrie, enseignement, administrations, banques, assurances et recherche. Les études de science politique mènent à de nombreux choix intéressants.

Postes et chemins de fer

Préposé des postes ▷

Pour que les milliers de lettres, de paquets, de journaux qui voyagent d'un bout à l'autre du pays et du monde puissent être distribués à leurs destinataires, il faut la compétence et la diligence des préposés de la poste. Leurs tâches sont très diversifiées. Le préposé « acheminement » assure le ramassage et le transport du courrier vers le bureau de poste. Là, le préposé du bureau trie lettres et paquets selon leur destination, les oblitère et les met dans des sacs qui sont alors envoyés par le moyen de transport voulu, camion, train, avion, bateau. A l'autre bout de la chaîne, à l'arrivée dans le bureau de poste, les sacs sont déchargés puis ouverts, et le courrier est réparti par quartier, par village, et « enliassé » suivant l'itinéraire du préposé de la distribution, encore souvent appelé facteur. Tôt le matin, celui-ci part faire sa tournée des boîtes aux lettres, à bicyclette, à mobylette ou en fourgonnette jaune, parfois à ski ou en bateau. Sa sacoche sur l'épaule, et par n'importe quel temps, il va de maison en maison, sans en oublier aucune, ni en ville, ni dans les endroits les plus isolés, et sa venue est toujours très attendue.

Contrôleur des postes

Les PTT sont étroitement associés au développement économique du pays, par le montant des investissements et par l'emploi de milliers d'agents, dont le contrôleur des postes. Appelé à tenir l'un des guichets d'un bureau de poste, son travail lui permet de développer le contact avec le public et le sens des relations commerciales. Ses travaux « à l'arrière » sont aussi multiples : tri du courrier, traitement des valeurs déclarées, comptabilité journalière. Dans un centre télégraphique ou un central téléphonique, sa mission est de recevoir et de transmettre des messages. Dans un centre de chèques postaux ou de caisse d'épargne, il tient les comptes des clients, vérifie les titres ou l'entrée des données comptables à l'aide d'un terminal d'ordinateur qui les gère électroniquement. Quant au tri du courrier, si dans les centres, le tri manuel s'efface de plus en plus devant le tri automatique, il n'en va pas de même dans les trains, où les contrôleurs « ambulants » tiennent un rôle important dans l'acheminement du courrier. Le tri des sacs s'effectue en équipe dans les wagons postaux des convois de nuit. Pour être admis comme contrôleur des postes, il faut avoir le bac et passer les épreuves d'un concours. L'ancienneté et d'autres concours peuvent permettre d'accéder au poste de receveur, de chef de centre ou d'inspecteur.

Inspecteur des postes

La poste est une vaste entreprise qui recouvre tout le pays, et ses réseaux de communications s'étendent partout, des villes aux endroits les plus reculés des campagnes ou de la montagne. Les services d'exploitation (postaux et financiers) et les services techniques (télécommunications) sont les deux grands secteurs d'activité des PTT. L'augmentation des besoins, la continuelle modernisation des moyens, l'importance et la variété des tâches, entraînent l'emploi d'un personnel qualifié. L'inspecteur, admis par concours, doit avoir une formation supérieure, en économie ou en droit, en physique ou en électronique, et le sens des relations publiques. Dans l'exploitation commerciale et administrative (bureaux de poste, centres de tri, chèques postaux ou caisse d'épargne), il peut être chargé de l'organisation du travail et de l'encadrement du personnel d'une direction régionale ou départementale, ou participer à la marche du service et aux études de gestion. Dans les services techniques, il peut être responsable des installations de télécommunications à la tête d'une équipe de techniciens et d'électromécaniciens, ou collaborer aux études d'un service de recherches appliquées. Quelle que soit sa fonction, il doit assumer les responsabilités qu'elle représente et savoir organiser son travail et celui du personnel placé sous ses ordres. Le poste d'inspecteur permet d'accéder à plusieurs emplois supérieurs : administrateur, inspecteur général, directeur.

Chef de gare

Quelle que soit l'importance de la station, le chef de gare a l'entière responsabilité de la sécurité, du bon fonctionnement de tous les services et de la gestion de l'ensemble des bâtiments. Il dirige le travail du personnel, agents de mouvement, d'exploitation et de manœuvre qui assurent la circulation régulière des trains, le transport des voyageurs et des marchandises, la surveillance des équipements (voies, signalisation, caténaires, télécommunications), le contrôle du matériel, l'entretien, le «commerce voyageurs» (vente des billets), la comptabilité, ainsi que le service des messageries. Dans une grande gare qui peut comprendre plusieurs centaines d'agents et ouvriers, le chef de gare est assisté de nombreux cadres supérieurs et de spécialistes, ingénieurs, aiguilleurs, électrotechniciens. Dans une petite gare, en revanche, lorsqu'ils ne sont que quelques-uns pour tenir les divers services, le chef de gare aide ses agents et s'occupe aussi bien du poste d'aiguillage que des voyageurs ou de la comptabilité. C'est un métier plein d'imprévus, qui demande beaucoup de présence et d'attention.

Conducteur de locomotive △

Agent de conduite est un métier à part qui demande des aptitudes physiques et psychologiques exceptionnelles. Une loco électrique ne se conduit pas comme un diesel, et une motrice de TGV, le train le plus rapide du monde, exige encore plus d'attention et des réflexes rapides. Après avoir acquis la maîtrise de la machine, il faut reconnaître le trajet à parcourir, sa géographie, la situation des gares d'arrêt pour le freinage, les aiguillages et le système de signalisation. La vitesse est enregistrée et les limitations doivent être respectées scrupuleusement ; un demi-km/h de dépassement risque d'être pénalisé ! L'agent doit pouvoir déceler la moindre anomalie le long de sa ligne et faire face en quelques secondes, de jour comme de nuit, la sécurité des voyageurs en dépend. Être seul maître à bord d'un train récompense de longs efforts, mais c'est une grande responsabilité.

L'habillement

Gantier ▷

Le gantier, c'est le spécialiste qui fabrique les gants mais aussi celui qui les vend en magasin, selon la taille et l'usage requis. Les matières synthétiques sont de plus en plus utilisées dans l'industrie du gant, pour les activités sportives (ski, navigation) et professionnelles (bâtiment, industrie, agriculture) notamment. Le cuir reste toutefois le matériau de l'élégance et le travail des peaux un métier de spécialiste, aussi bien à l'usine que chez l'artisan. Les cuirs employés en ganterie et en maroquinerie sont traités et assouplis, puis teintés, ou pas, par des procédés chimiques qu'utilise le tanneur-mégissier. C'est l'assortisseur qui choisit les peaux dont seront faits les gants, les sacs à main, les ceintures ou les

articles de voyage. La manipulation : coupe, couture ou collage, et jusqu'à la finition de chaque produit, revient aux ouvriers, qualifiés dans les différentes opérations, qui travaillent à la main ou guident les machines. Pourtant, un métier du cuir est resté vraiment artisanal, c'est celui du sellier-gainier. Moins souvent appelé à confectionner des selles ou des harnais, il est surtout gainier. Son travail consiste à habiller les fauteuils et les sofas, l'intérieur des voitures, les mallettes et les étuis pour jumelles ou caméras. L'ajustage des peaux ne peut se faire qu'à la main, et c'est du tout grand art.

Confectionneur en série

La majeure partie des vêtements est confectionnée industriellement, en prêt-à-porter. Les nouvelles matières utilisées imitent de plus en plus parfaitement les étoffes naturelles, et les machines à mémoire exécutent tous les points souhaités. L'industrie de l'habillement, informatisée et robotisée, emploie un nombreux personnel qualifié pour conduire et entretenir les différentes machines, coupeuses, assembleuses, piqueuses. Un mécanicien en confection est capable de monter entièrement un vêtement et d'en effectuer la série selon les tailles et les coloris demandés. Pour que le prêt-à-porter soit à la mode, le chef d'entreprise s'entoure de modélistes, qui imaginent les modèles nouveaux, et de stylistes, qui orientent les choix selon les couleurs et les goûts de la saison à venir.

Tailleur △

Le tailleur, comme la couturière, est un artisan qui confectionne des habits sur mesure pour ses clients. Il prépare un patron exact des différentes pièces du vêtement choisi, puis procède à la coupe du tissu et à l'ajustage. Après les essayages et retouches nécessaires, il coud l'ensemble à la main ou à la machine. Il travaille seul ou secondé par des ouvriers et des spécialistes comme le modéliste, le coupeur, la brodeuse. Indépendant, il est à la fois un technicien et un commerçant soumis aux exigences de la mode. La corsetière, qui réalise sur mesure des sous-vêtements féminins et des maillots de bain, ou le chemisier (lingerie masculine), ou la modiste, sont tous des artisans de l'habillement. Le grand couturier est lui, un styliste qui crée la mode. Il invente de nouvelles formes, de nouveaux coloris, dessine de nouvelles lignes, et présente les collections de sa maison de couture avec le concours de mannequins. La confection artisanale de vêtements ou de chapeaux, est un art qui demande de l'habileté manuelle et de l'imagination.

Tisserand ▷

C'est un des artisans les plus proches de la nature. Il fabrique des étoffes traditionnelles à partir de fibres de lin, de fils de soie que lui fournit le sériciculteur ou d'écheveaux de laine préparée par le lainier. Il tisse son œuvre sur un métier à bras. Le tisserand utilise souvent des plantes tinctoriales pour procéder lui-même à la teinture de ces matériaux naturels et créer les coloris que lui suggère son imagination. Il vend ses tissus d'habillement ou d'ameublement à des entrepreneurs, ou bien il confectionne des vêtements, des châles, des tapisseries qu'il se charge de vendre dans les magasins spécialisés ou sur les marchés. Certains travaillent isolément dans un

village, une campagne, d'autres dans un centre d'artisanat installé au cœur de la montagne. Mais qu'il soit seul ou qu'il fasse partie d'une communauté, la liberté du tisserand s'exprime à travers sa création et au rythme des saisons.

Cordonnier △

Les chaussures sont généralement fabriquées en série par des ouvriers spécialisés. Les métiers qui participent à la chaîne de confection industrielle sont nombreux et variés : du coupeur-patronnier au finisseur, en passant par le brideur, le couseur, le bonboutier et le chaussonnier. Mais le cordonnier, s'il n'exerce souvent ses talents que pour réparer les souliers usagés, est tout cela à la fois. Il sait fabriquer des chaussures depuis la coupe du cuir, ou des matériaux synthétiques, et le montage jusqu'à la finition. Le bottier, quant à lui, est plus précisément soit un chausseur de luxe, soit un orthopédiste qui confectionne des souliers sur mesure pour les pieds sensibles ou malformés. Des machines très affinées aident le cordonnier dans sa tâche, mais son habileté d'artisan, pour les « réparations minute » comme pour réaliser une paire de fines bottines, est seule responsable de la beauté et du confort du produit fini.

Bijoux et beauté

Bijoutier-joaillier ▷

Avec les nouveaux alliages et les procédés qui permettent de fabriquer des pierres synthétiques, la bijouterie industrielle réalise de très beaux bijoux. Mais l'artisan garde le privilège d'offrir des pièces uniques d'or et d'argent, de pierres précieuses et de perles fines. Colliers, bagues et boucles d'oreilles, chaînes ou boîtiers ouvrés à la main gardent un caractère inédit et rare que ne peut égaler la fabrication en série. La bijouterie, la joaillerie et l'orfèvrerie représentent l'art de façonner des parures, de sertir des diamants et de ciseler des objets pour en faire les bijoux et les coupes qui ravissent le regard. Ouvrier et artiste, le bijoutier-joaillier réalise les montures d'après un dessin. Il choisit le métal qui convient et prépare chaque élément séparément pour obtenir la forme et le galbe voulus. Les pièces sont martelées et ciselées, puis assemblées par soudure et polies. Le sertissage des pierres est un travail délicat qui s'accomplit avec le drille et le burin. La fixation doit maintenir la pierre fermement tout en la mettant en valeur. L'orfèvre et le cuilleriste travaillent avec le maillet de bois et la cisaille pour façonner les objets de métal. Le fondeur-ciseleur prépare les motifs ouvragés, et les formes s'arrondissent sur le tour du repousseur. Les couverts, les coupes et les ciboires qui sortent de leurs mains sont des merveilles de finesse. A moins de n'en faire que le commerce, il faut un don naturel pour exécuter avec art les bijoux et objets précieux.

Diamantaire ▷

Le diamant est la plus belle des pierres précieuses. Il est transparent à la lumière et son indice élevé de réfraction lui permet de lancer des feux irisés. Composé de carbone pur cristallisé, c'est aussi le plus dur des minéraux naturels. Il est originaire des profondeurs de la Terre (du magma terrestre). Les diamants sont extraits des kimberlites, cheminées diamantifères, puis triés. Une première sélection permet de séparer les diamants industriels des diamants de joaillerie. Les «borts» qui servent à tailler le cristal et à polir le diamant, les «carbonados» qui sont utilisés pour les trépans de forage, et les diamants de synthèse (fabriqués artificiellement) sont employés dans de nombreux secteurs de l'industrie, de la physique, de la recherche. Le diamantaire est le spécialiste des diamants de joaillerie. Il les trie selon leur «eau» (couleur, transparence), et leurs «carats» (poids). Après le clivage (le fait de fendre le diamant dans le sens de ses couches minérales), il les taille à facettes pour augmenter leur éclat, puis il les polit pour obtenir des joyaux en forme de rose, de brillant, de poire ou de rectangle. Le travail du lapidaire est le même en ce qui concerne toutes les autres pierres précieuses.

Horloger ▽

Les machines à mesurer le temps ont beaucoup évolué depuis l'époque de l'horloge à poids. Les progrès technologiques ont amené l'heure électrique, puis l'heure électronique avec plus de précision et plus de miniaturisation, et l'affichage digital fait concurrence aux aiguilles sur les cadrans. Les montres donnent l'heure juste, à quelques secondes près, sans tomber en panne. Elles ne se réparent plus, elles se remplacent. Mais les montres de prix, les chronographes et les compteurs de temps, les pendules de style et les horloges des monuments ont toujours besoin de l'horloger-réparateur. L'industrie horlogère emploie de nombreux spécialistes pour surveiller l'assemblage, montage et réglage des pièces (micro-mécanismes, circuits intégrés, oscillateurs à quartz), qui entrent dans la fabrication des montres, des réveils, des pendules. L'enseignement professionnel prépare à ce métier d'une extrême minutie et peut mener au brevet de technicien supérieur. Et l'artisan horloger qui s'installe à son compte, trouvera la possibilité d'exercer ses activités n'importe où, s'il sait associer la vente et la réparation et s'il ajoute à ses compétences des connaissances en micro-électronique.

Coiffeur ▷

La coiffure est un art qui demande de la dextérité mais aussi de la psychologie. En plus des soins qu'il faut savoir donner pour raviver une chevelure terne, du tour de main qu'il faut avoir pour réussir une coupe, une teinture, une permanente, il faut aussi comprendre les clients, les conseiller, parfois les aider à reprendre goût à la vie par une nouvelle apparence, plus moderne, plus gaie. Pour être coiffeuse, ou coiffeur, il est indispensable d'aimer les contacts humains, d'être un peu artiste et très travailleur. C'est un métier qui évolue au gré de la mode, aussi bien pour les hommes que pour les femmes, et qui demande une adaptation constante aux nouveaux produits, aux nouvelles méthodes. Un métier passionnant qui, après le brevet puis la maîtrise, donne la possibilité d'ouvrir son propre salon avec tous les atouts pour réussir.

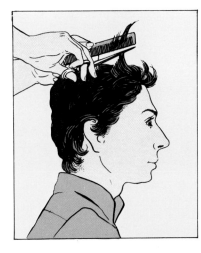

Esthéticienne ▷

La tâche de l'esthéticienne est de dispenser des soins de beauté, mais aussi un certain bien-être moral, et cela nécessite une préparation sérieuse. A une apparence soignée et une présence attentive, elle doit ajouter un goût artistique sûr et des connaissances en psychologie et en physiologie de la peau. Ses mains expertes savent prodiguer les traitements appropriés à la texture de peau de chaque cliente, elles connaissent les massages qui donnent une nouvelle fraîcheur au corps et au visage, et l'art du maquillage qui met en valeur. Mais pour lutter efficacement contre le vieillissement, il faut aussi lutter contre le découragement. Le rôle de l'esthéticienne est aussi d'écouter, de deviner les malaises, de conseiller et de contribuer à redonner le sourire. Dans certains hôpitaux, des salons de beauté offrent aux malades cette détente physique et morale qui facilite la guérison.

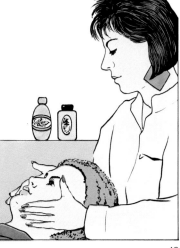

Le verre et la pierre

Mosaïste △

Le mosaïste est un artiste qui crée des ouvrages décoratifs en assemblant des mosaïques, petits cubes multicolores de grès ou de pâte de verre que l'on nomme «tesselles». Les dessins figurés sont incrustés dans un ciment ou jointoyés et collés sur un ou plusieurs panneaux qui, mis ensemble, forment un pavage ou un revêtement mural. Il faut de l'imagination et beaucoup de patience pour réaliser des œuvres originales. Le restaurateur de mosaïques antiques (grecques et romaines) est un artiste différent, attaché à la reconstitution des dessins du passé, et qui décape et remplace les supports détériorés. Il participe à un long travail de recherches en collaboration avec les archéologues. Quant aux tommettes des carrelages, aux carreaux de faïence ou de grès, ils sont habilement posés par le carreleur mosaïste. Un ouvrier artisan qui aime, lui aussi, marier joliment les couleurs.

50

Opticien de précision ▽

L'optique est une branche de la physique qui étudie les lois de la vision et de la lumière. Le verre, le cristal, le quartz entrent dans la composition des systèmes optiques : lentilles, miroirs et prismes, au travers desquels les rayons lumineux se propagent selon les lois immuables de la réflexion et de la réfraction. Les instruments d'optique sont caractérisés par leur puissance, leur grossissement et leur clarté. Les principaux d'entre eux sont les loupes, les oculaires, les viseurs, le microscope et les lunettes astronomiques. L'opticien de précision fabrique les pièces des différents systèmes optiques des appareils scientifiques, les objectifs des appareils photographiques, caméras, projecteurs, et les lunettes. L'ébauchage, le doucissage, puis le polissage se font par frottement à l'aide de substances abrasives de plus en plus fines.

Appareilleur de pierres

Les métiers de la pierre sont multiples, selon les matériaux extraits des carrières : marbre, granit, grès, ardoise, schiste et l'utilisation qui en est faite. Chaque roche a des applications distinctes et ses spécialistes. Les différents secteurs de la construction, des pierres de taille aux graviers (routes) et aux sables (ciment) se partagent la majeure partie des besoins. L'extraction est menée par les carriers qui dégagent et façonnent les blocs nécessaires au commerce. L'appareilleur de pierres est un technicien spécialisé de la coupe et de la pose des pierres de taille. D'après les données d'un plan d'architecte, il choisit les blocs et dessine les gabarits qui servent à vérifier la forme exacte de chaque pierre. Sa connaissance des roches, de leur aspect et de leur structure, est primordiale pour diriger le travail de taille. Sous sa surveillance, les blocs numérotés trouvent, selon leur forme et leurs dimensions, l'emplacement précis qui leur revient dans l'édifice en construction. Un métier qui demande des notions de pétrographie.

Verrier ▷

Le verre est une matière dure et cassante fabriquée à base de silicates. En refroidissant, la pâte se fige sans se cristalliser, ce qui lui donne sa transparence. Ses utilisations sont innombrables dans tous les domaines, et des spécialistes verriers se retrouvent aux différents stades de sa fabrication, comme dans les divers secteurs d'application. Dans les verreries industrielles, les mécaniciens verriers surveillent les fours d'où la pâte sort

épurée, prête à être moulée, et conduisent les machines qui fabriquent le verre plat (vitres) ou creux (bouteilles). Dans les cristalleries, les verriers souffleurs réalisent des objets à destination ménagère, ou des instruments de précision pour les laboratoires et les appareils scientifiques, à partir des bulles de verre soufflées à l'air comprimé et formées dans des moules en fer. Mais le souffleur à la bouche et le graveur sur cristal travaillent encore le verre artisanalement pour produire des objets inédits et des œuvres d'art.

Vitrailliste ▷

Le vitrailliste est un peintre verrier qui décore les édifices anciens et modernes avec des fresques de verre coloré. Son art consiste à remplir de grandes surfaces avec des petits morceaux de couleur et de lumière. Une maquette agrandie de son œuvre, ou de celle d'un peintre célèbre, est divisée en panneaux numérotés. Les plaques de verre sont découpées et groupées par couleurs ; il peut y avoir jusqu'à 700 tons différents. Pour construire le vitrail, le maître-verrier compose le tableau panneau par panneau. Il commence par placer les baguettes de plomb, il travaille ensuite chaque morceau de verre avant de l'insérer selon sa forme et sa couleur, et pour finir, il enchâsse tous les éléments avec le plomb. Les techniques modernes qui utilisent du verre épais enchâssé dans du béton ou des résines époxydes, permettent de construire des parois entières (gares, aérogares, écoles, hôpitaux) où s'allient la luminosité et l'étanchéité, et leur mise en place dans l'architecture est importante. Le vitrailliste a su transformer cet art hérité du Moyen Age et le parer des mouvements, des couleurs et de la lumière d'aujourd'hui.

Potier

Un métier ancien qui, à travers les âges, a inspiré les artistes dans le monde entier. Le potier est un artisan qui travaille avec ses mains l'argile ou le grès cérame pour fabriquer des récipients de terre cuite. Il façonne les vases, les assiettes à l'aide d'un tour qui se lance avec le pied et qui donne en tournant un arrondi régulier aux objets. Puis il les fait cuire au four après les avoir décorés selon son inspiration. Les céramiques, vernies ou émaillées, sont cuites une seconde fois pour en éliminer toute porosité, et les porcelaines s'obtiennent à partir d'une terre argileuse très affinée, le kaolin. Céramiques et porcelaines sont fabriquées industriellement, mais ne peuvent égaler le charme original de la poterie artisanale qui a toujours été considérée comme une tâche noble.

L'alimentation

Épicier ◁

Le petit commerce est une entreprise qui demande une bonne connaissance des produits ainsi que des qualités de vendeur et de comptable. L'épicier achète aux grossistes ou aux mandataires toutes les marchandises susceptibles d'intéresser ses clients, et il doit constamment vérifier ses stocks pour en éliminer les articles périmés. Le choix des denrées qu'il offre aux consommateurs doit être varié et de première qualité pour pouvoir résister à la concurrence du libre-service, et les prix doivent rester compétitifs. Les arrivages de fruits et de légumes se font très tôt

le matin, avec les cageots à décharger et les étalages à ranger avant la venue des premiers acheteurs. Toute la journée il faut vendre et tenir la caisse, et l'amabilité compte pour beaucoup dans le chiffre d'affaires. La présence de l'épicier est requise continuellement, tous les jours de la semaine et même le dimanche, et les vacances sont rares. Le brevet de vendeur en alimentation générale prépare sérieusement à cette activité qui ne tolère guère l'improvisation, mais l'expérience apporte en plus le savoir-faire indispensable pour mener l'épicerie vers le succès. Le crémier qui se spécialise dans la vente des produits lactés et des œufs, se heurte aux mêmes problèmes, connaît les mêmes réussites.

Poissonnier ▽

Les poissons font partie des ressources naturelles de la Terre. Ils sont présents dans toutes les eaux : mers, lacs, rivières, étangs, (plus de 20 000 espèces), et constituent une nourriture saine pour l'homme. Leur intérêt économique est considérable, depuis la pêche, et de plus en plus la pisciculture, jusqu'au poissonnier qui se charge de la vente aux particuliers. Le métier de poissonnier comprend la connaissance de chaque espèce de poisson qu'il choisit et achète. Il sait leur provenance et les périodes favorables de leur pêche. S'il est en bord de mer, il s'approvisionne sur les criées ; s'il est à l'intérieur du pays, ce sont des transporteurs mandatés par les marchands de gros qui lui amènent les poissons, mais aussi

les crustacés et les coquillages, par camions frigorifiques. Sa préoccupation principale est la conservation. Les produits de la pêche comme les fruits de mer ne sont propres à être consommés que s'ils sont d'une fraîcheur irréprochable. L'aménagement d'une poissonnerie comporte des chambres froides pour les entreposer et des bacs à

eau courante pour les évider et les laver. Ils sont ensuite parés ou débités et placés sur les présentoirs au choix des clients. Un bon poissonnier peut conseiller ces derniers et leur indiquer la meilleure façon d'apprêter telle espèce, le temps de cuisson, les herbes qui conviennent à sa saveur, la garniture, et comment la déguster.

Charcutier ▷

Commerçant en gros ou détaillant, le charcutier se consacre presque exclusivement à la viande de porc. Le cochon est un animal qui se consomme entièrement, du museau à la queue, et l'accommodation des différentes parties exige une parfaite connaissance de la bête ainsi qu'un long apprentissage de toutes ses utilisations. Les viandes de consommation fraîche sont débitées selon les méthodes de boucherie et vendues au détail. Les viandes de conservation, lard, jambon, saucissons, sont accommodées (salées, fumées ou épicées) suivant des procédés qui varient d'une région à l'autre. La charcuterie traditionnelle (pâtés, rillettes, andouillettes) et la charcuterie fine (galantine, boudin, foie gras) se préparent d'après des recettes très précises et souvent réputées qui nécessitent une expérience culinaire certaine. Quant au charcutier traiteur, s'il est aussi un connaisseur de la viande de porc, il est avant tout un cuisinier qui prépare des plats à emporter, comprenant des volailles et du gibier, des pâtés et des feuilletés.

Boucher △

Les travaux de boucherie demandent de la résistance physique, de l'adresse et une bonne formation professionnelle. Le métier offre plusieurs possibilités au boucher : il peut travailler dans un abattoir, une centrale de découpe et de conditionnement (conserverie) ou une boucherie en gros, comme salarié dans un commerce de boucherie ou installé à son compte. Le chevillard (de cheville ou crochet de boucher) s'occupe de l'abattage des bêtes qui sont achetées aux marchands de bestiaux ou aux éleveurs et revendues aux mandataires des halles ou aux bouchers. Le boucher commerçant est un professionnel du conditionnement de la viande, mais aussi un gestionnaire. Il achète aux halles ou aux abattoirs les quartiers de viande (bœuf, veau, mouton ou cheval) qu'il coupe, désosse et pare méthodiquement avant de les exposer en vitrine réfrigérée à la vue des consommateurs. Pour préserver la fraîcheur de la viande, la découpe de détail se fait sur l'étal à la demande du client.

Boulanger-pâtissier ▷

La théorie et la technicité s'apprennent dans un centre de formation, mais la pratique ne s'acquiert vraiment que chez un patron boulanger ou pâtissier. Lorsque sa compétence lui permet d'être responsable de sa fabrication, le boulanger en retire beaucoup de satisfactions et un sentiment d'indépendance. Il peut travailler comme salarié ou s'installer à son compte dans une boulangerie ou un emplacement de supermarché. Et quand les clients font un détour pour venir acheter son pain ou ses pâtisseries, il sait qu'il a réussi à imposer son habileté professionnelle. C'est un travail pénible qui commence la nuit ou très tôt le matin, et si les machines ont grandement allégé la manutention, la panification reste la même. Une parfaite connaissance des matières premières, les tours de main pour pétrir la pâte ou le calcul précis du temps de cuisson sont les conditions primordiales d'une bonne boulangerie. Les pâtisseries et le pain industriels, même préparés mécaniquement, sont faits selon les méthodes de toujours (pétrissage, moulage, cuisson), et là aussi, le métier a besoin de personnel qualifié.

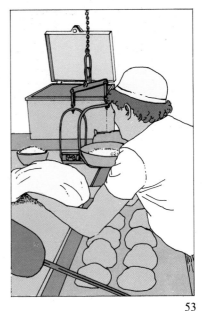

L'hôtellerie

Secrétaire de réception ▷

Pour devenir secrétaire de réception dans un grand hôtel, il est recommandé de parler plusieurs langues. Et la meilleure façon de les apprendre, c'est d'aller faire des stages à l'étranger après la formation technique d'hôtelier. Ce qui, en plus, permet d'acquérir de l'expérience et de connaître d'autres méthodes. Le secrétaire de réception est un technicien spécialisé qui doit avoir le sens des contacts humains, une bonne présentation et une patience à toute épreuve. Son rôle est d'accueillir les clients, de veiller à leur confort, de les renseigner lorsqu'ils sont désorientés. Il est au courant des règlements en vigueur et de l'organisation administrative, ce qui lui permet d'aider à remplir une formalité ou de diriger vers les services compétents une personne en difficulté. A certaines heures, la réception d'un hôtel est bourdonnante de monde : des clients arrivent, d'autres s'en vont et réclament leur note, d'autres encore demandent une information. Le secrétaire de réception doit alors surveiller, décider, apaiser, pendant que son équipe de réceptionnaires s'ingénie à satisfaire chacun. C'est un métier de responsabilités qu'il convient d'exercer avec tact.

Restaurateur ▷

Le restaurateur, directeur ou gérant de restaurant doit avoir le contact facile. C'est lui qui accueille les clients et les invite à prendre place, qui les conseille sur le choix du menu. Il dirige le personnel et veille à l'harmonie du service des tables afin que chaque convive soit satisfait. Il est aussi un spécialiste de la gastronomie qui s'efforce de pourvoir aux désirs d'une clientèle de gourmets en leur offrant des plats fins et variés. Le personnel de restaurant est plus ou moins nombreux selon la quantité de tables à servir ou la renommée de l'endroit : commis et garçons de restaurant, chefs de rang, sommeliers. Un petit établissement peut n'avoir qu'un ou deux serveurs et le patron peut être à la fois cuisinier et maître d'hôtel. Le style et le cadre de la maison varient et sont souvent adaptés aux besoins de la clientèle : employés d'entreprises, habitués d'un quartier ou touristes de passage qui y trouvent des menus à prix fixe, des plats du jour et même des en-cas ou des brunches vite servis. Dans la restauration collective, le personnel de salle disparaît pour laisser la place au libre-service, ce qui ne veut pas dire forcément qu'on y mange moins bien. C'est simplement une autre manière de vivre.

Cuisinier ▽

Dans les sociétés humaines actives, le nombre de gens qui travaillent loin de chez eux et qui n'ont plus la possibilité de se faire à manger, augmente continuellement. N'y aurait-il que cette raison, indépendamment du plaisir que l'on éprouve à aller au restaurant afin de se délasser, elle suffirait à souligner le rôle important du cuisinier dans le mode de vie actuel. L'art culinaire peut être exercé de multiples façons, plus ou moins élaborées, mais la manière d'accommoder des plats délicieux pour des centaines de personnes à la fois, est toujours une tâche de professionnel. Le cuisinier d'hôtel ou de restaurant a la responsabilité des achats de marchandises, de la composition des mets et de leur préparation. Il doit ensuite organiser son travail et celui des cuisiniers et des commis qui le secondent. A l'heure du repas, tout doit être parfaitement orchestré, au goût et au rythme des clients. Un grand «chef» est une personnalité très recherchée et son renom peut passer bien des frontières.

Hôtelier

Diriger un hôtel, c'est l'aboutissement d'une longue formation complétée par de nombreux stages dans différents établissements. C'est encore la connaissance de tous les services hôteliers : cuisine et tables d'hôtes, aménagement des chambres, des salons, réception et confort des clients. Gestionnaire, commerçant et bon psychologue, l'hôtelier préside à la bonne marche de l'entreprise, donne des directives au personnel et veille à ce que toutes les tâches soient accomplies avec amabilité et diligence. Il règle au besoin les situations délicates, qu'il s'agisse des clients ou du personnel. Le métier est de bonne rentabilité, mais les journées de travail sont longues. Les soucis de l'hôtelier sont : les problèmes de gestion et les problèmes de personnel. L'hôtellerie traditionnelle comme les chaînes hôtelières ont un grand besoin de main-d'œuvre qualifiée, tant pour la réception que pour la restauration. Il est vrai qu'un accueil chaleureux et une bonne cuisine sont les maîtres atouts d'un hôtel ou d'une auberge.

Agent de tourisme ▷

L'organisation des voyages est une tâche complexe qui demande une culture touristique et géographique et une grande expérience. Les offices de tourisme, les agences de voyage, les compagnies aériennes ont tous leurs agents et «agentes» en grand nombre, dont certains se trouvent à l'étranger. Pour visiter une région ou découvrir un pays lointain, il est important de préparer un itinéraire, de connaître les moyens de transport, les horaires, les possibilités de logement et les impératifs de visas ou de vaccins. L'agent conçoit des circuits touristiques, des voyages organisés, des départs à l'aventure, il aide au choix d'un voyage, et s'occupe des formalités à remplir. Pour cela, il consulte des cartes, feuillette des horaires et calcule les tarifs, puis il fait les réservations qu'il confirme par télex. Un programme cohérent de voyage est parfois difficile à établir. En relation avec les ambassades, il se tient au courant des évolutions politiques. Les emplois d'agent de tourisme sont en majorité sédentaires, en dehors des courriers, accompagnateurs et guides-interprètes, et l'intuition féminine y est très appréciée.

L'automobile

Routier   ▷

C'est un métier qui se choisit par vocation, pour l'indépendance et l'impression de puissance qu'il procure. Mais il a aussi ses contraintes, liées aux impératifs du rendement, au respect des horaires à tout prix, par tous les temps, de nuit comme de jour, ce qui engendre fatigues et énervements. Il existe diverses catégories de professionnels de la route. D'une part, il y a ceux qui n'effectuent que des déplacements courts, dans les limites d'un périmètre déterminé : conducteurs d'autobus, de bus scolaires, d'autocars d'excursion, de camions-benne (ébouage), déménageurs et chauffeurs-livreurs de matériels et de marchandises. D'autre part, il y a les grands routiers qui assurent les transports de voyageurs (touristes, colonies de vacances), de marchandises, de denrées périssables, de matières dangereuses, sur de longues distances et dans des délais souvent calculés au plus juste. Plusieurs formations (apprentissage, écoles) mènent aux épreuves du permis poids lourd (C et C1) ou transport en commun (D), mais la sélection est sévère, les tests et les examens médicaux sanctionnent de nombreux candidats. Il faut avoir des nerfs solides, un esprit individualiste et aimer le dépaysement pour accepter les exigences et les dangers de ce dur métier qui demande dextérité, prudence et résistance physique.

Garagiste   ▷

Le développement de l'automobile, le nombre croissant des véhicules mis en circulation ont entraîné la création d'une multitude de petites et de grandes entreprises où l'on entrepose, entretient et répare les voitures. Le garagiste assure les différents services requis pour leur bonne marche, soit qu'il travaille lui-même comme mécanicien, avec l'aide de deux ou trois employés expérimentés, soit qu'il dispose d'un nombreux personnel qualifié et s'occupe alors de la gestion et de la coordination des divers secteurs de l'établissement : mécaniciens, électriciens et carrossiers pour la réparation, vendeurs pour l'achat et la vente des voitures neuves, pour la location, magasiniers responsables des pièces de rechange, pompistes et gardiens, comptables et secrétaires. Quelle que soit l'importance de son commerce, le garagiste, dépanneur autos de tous les modèles ou concessionnaire d'une seule marque de voitures, est à la fois un spécialiste de la mécanique et un homme d'affaires. Il doit savoir encourager les compétences de ses collaborateurs et garantir leur conditions de travail, et avoir le sens de l'organisation et des responsabilités pour préserver les intérêts de ses clients, qui sont aussi ceux de son garage.

Mécanicien

Les progrès technologiques de la construction automobile apportent des innovations continuelles en matière de moteurs, de transmissions, de matériaux, avec pour impératifs : plus de sécurité, de meilleures performances, une consommation réduite. Le rôle du mécanicien est d'assurer l'entretien et la réparation des multiples marques et types de voitures lancées sur le marché. La complexité des nombreux modèles l'oblige à un recyclage constant, à se tenir au courant des changements qui interviennent dans les différents mécanismes, afin de pouvoir détecter les pannes et procéder au remplacement des pièces défectueuses ou effectuer les réglages nécessaires. La mise au point d'un moteur exige une grande habileté manuelle, même si le mécanicien peut se baser sur les données affinées des appareils de contrôle électroniques. Un mélange de force et de doigté, ainsi qu'une bonne écoute des sons et des bruits, font toujours partie des talents d'un spécialiste des moteurs. Et qu'il soit employé dans un garage ou installé à son compte, il a la responsabilité des réparations qu'il effectue.

Carrossier ▽

La carrosserie est un secteur important de la réparation automobile, mais le champ d'action du carrossier est beaucoup plus étendu. La construction de conteneurs et de nombreux véhicules, remorques, fourgons, ou voitures de luxe, qui ne sont pas fabriqués en série, fait partie de son métier. La formation professionnelle se divise en plusieurs spécialités dont le menuisier en voitures qui dessine et prépare les formes en bois des pièces à construire, le tôlier-formeur qui travaille les plaques de métal conformément à la maquette, le peintre en voitures qui protège les éléments de carrosserie de la corrosion et procède à la décoration. Il est aussi soudeur, sellier-gainier et miroitier, ou spécialiste des matières plastiques. Le carrossier spécialisé est recherché dans les petites entreprises de fabrication de véhicules, à l'unité ou en séries restreintes. Mais l'artisan carrossier installé à son compte doit tout connaître des différentes activités, de la fabrication comme de la réparation. Il doit pouvoir établir un devis aussi bien que calculer la résistance des matériaux, et posséder un sens artistique en plus de son savoir-faire.

Moniteur d'auto-école ▷

Conduire une voiture est à la portée de tous ceux qui désirent acquérir une autonomie de déplacement, pour le travail ou le plaisir. Pour cela, il faut en apprendre les règles théoriques et pratiques afin d'obtenir le permis de conduire ; permis qui exige de plus en plus de connaissances, à mesure que croissent les difficultés et les dangers de la circulation. Le moniteur d'auto-école est là pour enseigner les nombreuses lois du code de la route, la maîtrise du véhicule et les normes de prudence à respecter. Les épreuves du certificat d'aptitude professionnelle, que doit passer le moniteur, comprennent de la technique automobile, de la pédagogie et du droit, ainsi que la réglementation de la sécurité routière. Il lui faut en plus de la psychologie, pour mettre ses élèves en confiance, du sang-froid et beaucoup de patience.

Electronique et électricité

Electronicien ▷

Le mot électronique vient d'électron, particule élémentaire chargée d'électricité négative, qui gravite autour du noyau de l'atome. L'électronique est une science qui a pour objet l'étude de la conduction électrique dans le vide (tubes cathodiques, oscillographes), les gaz (lampes diodes, triodes) et les semi-conducteurs (transistors, cellules photoélectriques). L'utilisation de ces divers composants électroniques permet de fabriquer tous les appareils ayant pour centre un calculateur et capables de dispenser des informations. La miniaturisation et la rapidité d'exécution améliorent, affinent les appareillages courants, industriels et de recherche, tout en

réduisant les coûts, dans l'industrie automobile, aéronautique et spatiale, l'industrie textile, plastique et agro-alimentaire, la construction, la sidérurgie, les télécommunications. Les banques, les administrations, les médias, les hôpitaux et les écoles utilisent des ordinateurs. L'heure, le calcul, la musique et le jeu sont électroniques. Les circuits intégrés, les microprocesseurs et les puces de silicium facilitent le travail dans tous les domaines, et leurs applications universelles changent de plus en plus la vie et la société. Du vendeur dépanneur en électronique (radio-télévision, matériel de traitement de l'information, robots et télé-manipulateurs) à l'ingénieur électronicien et au chercheur, l'électronique a besoin de techniciens spécialisés à tous ses niveaux de réalisation.

Radariste ◁

Le radariste est un technicien spécialiste en électronique qui assure le fonctionnement et l'entretien des radars. Le principe du radar (RAdio Detection And Ranging, ou détection et télémétrie par radio) est fondé sur l'émission d'un faisceau d'ondes électromagnétiques, envoyé par brèves impulsions successives, à partir d'une antenne tournante (ou aérien). Lorsque le faisceau se heurte à un objet qui lui fait obstacle, les ondes sont réfléchies en retour vers l'antenne. La direction de l'objet est déterminée par la position de l'antenne et sa distance par le temps que prend l'impulsion pour aller et revenir. Le signal de retour (l'écho) est amplifié et affiché en clair sur l'écran radar ou transmis à l'ordinateur qui en traite les données. Le radariste dirige le faisceau d'ondes en changeant la position de l'antenne, ce qui lui permet de «balayer» toute la zone dont il a la surveillance. Il capte les échos et en interprète les images ou les résultats afin de transmettre directives ou avertissements. La dimension d'un radar varie selon l'utilisation qui en est faite, civile ou militaire, et suivant qu'il protège un bateau, un avion, un aérodrome ou un territoire. Mais la surveillance du radariste est toujours très importante, où qu'il se trouve, pour assurer la sécurité des gens et des biens. Pour cela, il faut une attention soutenue, une juste interprétation des signes, ainsi qu'une grande rapidité de décision en cas de danger.

Electromécanicien ▷

Une autre particularité de l'énergie électrique est d'être facilement transformable. Elle devient énergie lumineuse dans l'éclairage, thermique dans les résistances de chauffage, mécanique dans les moteurs. Elle permet la mise au point des innombrables moteurs utilisés dans tous les secteurs d'activité et ses champs d'application sont aussi variés que la communication, l'automatisation, l'informatisation, les transports ou l'électroménager. Le travail de l'électromécanicien, c'est l'ajustage et le montage des machines électriques. Son double rôle de mécanicien et d'électricien lui ouvre un vaste domaine qui va de la cabine de transformation d'une centrale à la chaîne de montage, du tableau de commande à l'escalier roulant, du robot ménager à la machine à traire. Comme

mécanicien, il trace et fabrique des pièces de moteur dont il assure l'assemblage et le réglage. Comme électricien, il effectue le câblage et le montage des circuits. Il se charge aussi de l'entretien et de la réparation du matériel, ce qui l'amène à remplacer et parfois à usiner les pièces défectueuses. Les industries

de transformation, sidérurgie, pétrole, agro-alimentaire, ont besoin d'électromécaniciens. Qu'il travaille dans une grande ou une petite entreprise, ou comme indépendant, l'ouvrage ne manque pas pour ce spécialiste des moteurs, surtout s'il possède en plus des connaissances en électronique.

Electricien d'équipement ▷

L'électricité, c'est l'énergie à tout faire. Sur le plan pratique, elle a révolutionné les moyens de production et transformé la vie de l'homme. Facile à transporter, facile à distribuer, elle est produite en majeure partie dans des centrales électriques, par transformation d'énergie hydraulique, thermique ou nucléaire, au moyen de générateurs de courant, ou de piles (photopiles, thermopiles). L'électricien d'équipement est un spécialiste des installations électriques. Il exécute celles qui sont destinées aux distributions industrielles de force motrice, à la signalisation, à la distribution collective, à l'industrie et au bâtiment. Il met en marche tous les appareils électriques nécessaires à un établissement public ou privé,

usine ou maison individuelle, à l'extérieur comme à l'intérieur. A partir d'un schéma détaillé des besoins en électricité, il tire et pose les fils qui vont servir à alimenter l'éclairage, les ascenseurs, le chauffage, les sonneries, les appareils électroménagers. Il installe les prises de courant, les interrupteurs et les fusibles, et procède aux différents branchements. Il assure ensuite l'entretien et la réparation

des installations, ainsi que le dépannage de certains appareils. L'électricien d'équipement qui travaille dans une entreprise, peut devenir chef d'équipe ou commismétreur (projets de travaux, états des lieux, expertises) s'il a les qualités professionnelles requises. Ou il peut s'installer à son compte, ce qui lui apportera plus de contacts avec la clientèle mais aussi plus de responsabilités.

Commerçants et artisans

Libraire ▷

Pour vendre des livres, il faut les connaître et les aimer. Le libraire doit pouvoir conseiller ses clients dans tous les genres et choisir, parmi les milliers de livres qui paraissent chaque année chez les éditeurs, ceux qui pourront les intéresser, pour s'instruire ou se distraire. Le libraire est un vendeur à part, car s'il doit supporter les charges et la comptabilité de la librairie magasin, il est avant tout l'animateur de la librairie lieu de culture. C'est un endroit privilégié où l'on va pour acheter bien sûr, mais aussi pour flâner, rêver, ou trouver une solution à certaines études, à certains projets. Le libraire est là pour aider, pour rechercher un ouvrage rare ou spé-cialisé. Tous les livres ne peuvent pas figurer à l'inventaire, et le jugement du libraire dans le choix qu'il propose à ses clients est important, selon qu'il s'agit de jeunes lecteurs ou de moins jeunes, d'étudiants ou de sportifs, d'amateurs de littéra-ture classique ou de romans d'aventure. Faire le commerce des livres demande des connaissances culturelles, le sens des relations publiques et du contact humain, ainsi que des talents de gestion-naire.

Plombier ▷

La plomberie est inhérente à la maison d'habitation et contribue au confort de tous les jours. Il est vrai que c'est souvent lorsqu'elle ne fonctionne pas que l'on s'en rend compte ! Le plombier est un professionnel qui s'occupe des tra-vaux d'installation, amenées d'eau et évacuation des eaux usées, pose des éviers, toilettes et baignoires, robinetterie et tuyauterie, condui-tes de gaz et chauffe-bains. Il se charge de l'entretien des appareils et des canalisations, ainsi que de la rénovation des installations ancien-nes. Le métier de « monteur en équipement sanitaire » s'apprend dans les écoles techniques, au cours de stages de formation ou par apprentissage. Avec une bonne expérience, un ouvrier qualifié peut s'installer à son compte comme artisan, il ne risque pas de manquer de travail. Le plombier est un installateur mais aussi un dépanneur, et c'est fréquemment qu'il est appelé au secours de per-sonnes en panne de chauffe-eau, privées d'eau ou au contraire inon-dées, ce qui l'amène parfois à cher-cher longuement le tuyau bouché ou la provenance d'une fuite. C'est un homme de terrain, habile et minutieux, toujours prêt à venir en aide, même s'il se fait désirer de temps en temps. Et, bien que les matériaux aient changé, son nom gardera son origine : le plomb.

Droguiste ▽

Si dans certains pays la droguerie est en plus une pharmacie et un restaurant, c'est généralement un commerce qui vend au détail des produits chimiques et des articles de ménage et d'hygiène. On y trouve tout ce dont on peut avoir besoin pour bricoler, réparer, peindre, coller et nettoyer, des teintures aux pinceaux en passant par les détergents. Le droguiste est un commerçant qui gère son entreprise et vend des produits dont il connaît les propriétés, ce qui lui permet de conseiller ses clients, notamment en ce qui concerne les composés dangereux. Certaines substances sont à manier avec précaution et leur entreposage doit être surveillé, leurs stocks tenus à jour avec vigilance. Comme pour n'importe quel métier, la qualification est ici importante. Dans le petit commerce, la formation se fait souvent «sur le tas», mais des stages de perfectionnement apportent une plus grande spécialisation et la possibilité de mieux choisir les produits auprès des fournisseurs, de mieux les vendre, ainsi que de mieux gérer un magasin. Droguiste est un métier de responsabilités mais aussi de bonnes relations.

Antiquaire △

L'antiquaire est un commerçant qui vend des meubles anciens et des objets d'art. C'est aussi un artiste qui sait reconnaître une pièce authentique lorsqu'il la voit, même si celle-ci a besoin d'être restaurée. Il achète chez les brocanteurs ou chez les particuliers les meubles de style, pendules, tapis, vaisselle et objets de décoration dont il connaît la valeur et qu'il sait pouvoir garantir à ses clients.

Il se déplace d'une salle des ventes à l'autre, visite des châteaux et des maisons de maître pour y trouver, parfois relégués dans un grenier, les trésors qu'il cherche. Il est souvent spécialisé dans une époque, Louis XV, Empire, ou dans une catégorie d'œuvres, art africain, art religieux, car bien qu'ayant étudié l'histoire de l'art, il est difficile de tout savoir sur tous les âges et tous les pays. C'est un métier qui ne s'apprend pas seulement dans les livres, il faut une longue expérience pour discerner le vrai du faux et avoir le sens du commerce.

Serrurier ▷

La serrure, du vieux nom de seredure (XII⁰ siècle), est un dispositif mécanique qui permet de fermer (serrer) une porte, un coffre, un tiroir, et la serrurerie est un métier précis qui peut aussi parfois être un art. Outre la pose des serrures neuves, celles qu'il ouvre, change ou dégrippe, le serrurier s'occupe de toutes les parties métalliques d'un bâtiment, à l'intérieur comme à l'extérieur. Il fabrique les fixations, les fermetures, les assises en fer. Ce spécialiste du métal sait tout faire, forger, souder, riveter, ajuster les pièces de tôle ou de fer forgé qui servent à construire les grilles, les portails, les balcons, les montants des portes et des fenêtres, les rampes des escaliers et les châssis des

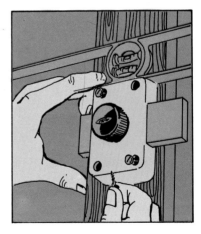

verrières. Les nombreux travaux qu'il est capable d'exécuter dans une maison, font de lui un artisan indispensable, tant pour l'aménagement que pour le dépannage. Une formation technique sérieuse et du savoir-faire, offrent au serrurier la possibilité d'exercer un métier indépendant et intéressant.

La gestion 1 - Marketing

Responsable de marketing ▷

Le marketing, transformé en outil de gestion, permet de choisir entre les produits, d'orienter la production, de faire les prévisions budgétaires et d'organiser les campagnes publicitaires. Le responsable de marketing doit connaître la situation du marché, la position des concurrents, la valeur des différents produits similaires, les possibilités de vente et leurs prévisions chiffrées. Il étudie l'ensemble de ces données afin de promouvoir, au bon moment, au bon endroit, la vente des produits de son entreprise, et ainsi de concourir à son développement économique. Il s'applique aussi à stimuler le personnel de vente chargé de convaincre le client de la justesse de son choix. Dans la recherche de produits nouveaux, il doit tenir compte des variations de prix, des structures de répartition de la clientèle, ainsi que du droit du consommateur, dont la prise de conscience a mis en évidence certaines duperies en matière de techniques de vente (publicité, emballages), et doit donc veiller tant à la qualité des produits qu'à la validité de leurs mérites. Si le marketing (qui vient du mot anglais *market,* marché) est surtout développé dans le secteur des biens de grande consommation, il est de plus en plus présent dans toutes les entreprises désireuses de vendre mieux.

Gestionnaire d'entreprise

Le fonctionnement d'une entreprise repose sur les moyens humains et matériels mis en œuvre, et ces moyens diffèrent d'une entreprise à l'autre, suivant le type, la taille et l'organisation de celle-ci. Pourtant, quelles que soient les caractéristiques économiques, techniques et juridiques propres à chacune, on retrouve toujours, en plus de la fonction commerciale (produire pour vendre), la fonction de direction : administrer, prévoir, organiser, contrôler. C'est le rôle du chef d'entreprise, coordinateur de l'ensemble des services. Les bureaux d'une entreprise commerciale ou industrielle comprennent un nombreux personnel spécialisé dans diverses branches, qui sont les services comptables et financiers, les services administratifs (organisation, secrétariat), les services juridiques et fiscaux (droit, contentieux), les services du personnel et de la formation professionnelle, et les services commerciaux regroupant le marketing, l'administration technico-commerciale, la promotion des ventes et la publicité, l'exportation, les achats et les stocks, la distribution, les transports. Toutes ces fonctions se développent grâce à des études approfondies menées par les économistes et les statisticiens sur la façon plus rationnelle et plus efficace de les exercer. L'informatique et la logistique (au niveau international) font aussi partie de l'évolution des méthodes et techniques de gestion. Plus l'entreprise est importante et plus le poste de gestionnaire implique une parfaite maîtrise des sciences économiques et le sens des affaires.

Contrôleur de gestion △

Le contrôle de gestion consiste à mettre en place un ensemble de procédures de prévision et d'information pour assurer le fonctionnement d'une entreprise. Dans un environnement économique, social, politique et technologique en pleine mutation, il est important d'analyser et de réajuster constamment les objectifs à atteindre. Les informations comptables et administratives indiquent les tendances et les écarts entre les prévisions et les réalités, ce qui permet au contrôleur de gestion de mettre en œuvre une stratégie visant à améliorer les résultats. Pour cela, il se base sur les réalisations des objectifs et des études économiques, sur les performances, la motivation et la prévision tant techniques (comptabilité, statistique, informatique) que psycho-sociologiques (théorie de l'organisation, communication). Il participe à l'établissement des budgets à court et moyen terme, à la préparation des plans à long terme, à l'étude des objectifs de l'entreprise et au contrôle des réalisations. C'est un métier qui est ouvert à ceux qui débutent dans la gestion d'entreprise et qui pourra, selon le niveau de formation et l'expérience, comporter plus ou moins de responsabilités.

Concepteur médiatique

Les relations humaines sont une composante essentielle de la conduite d'une entreprise. Elles correspondent à des recherches méthodiques réalisées pour apprécier le climat et l'attitude du personnel. L'analyse des relations d'ordre psychologique et social intervenant dans le travail en commun revient au concepteur médiatique. Pour améliorer le climat social dans l'entreprise, il est amené à étudier les postes de travail et à les évaluer, à former et à informer le personnel, à choisir les supports et traitements de l'information (les médias), à élaborer des systèmes de primes. Sa politique de relations humaines prend en considération d'une part la rentabilité et la productivité de l'entreprise et d'autre part les besoins et les motivations du personnel. Car si d'un côté l'entreprise impose certaines normes, elle doit aussi élargir l'information et la communication. Par l'étude et la mise en pratique des schémas informatiques, le concepteur médiatique est à la fois un gestionnaire des ressources humaines, un organisateur et un informaticien. Son but : atteindre les objectifs de développement en contribuant à la réalisation personnelle de chacun.

Secrétaire ▽

Dans tous les secteurs d'activité, à tous les niveaux de la hiérarchie, la secrétaire est le maillon indispensable de la chaîne des services. C'est elle qui concrétise sur papier ou cassette d'ordinateur les nombreuses discussions, décisions et recherches qui interviennent chaque jour, et qui rassemble la somme de travail des techniciens, cadres et directeurs, des juristes, ingénieurs ou médecins. Suivant le poste qu'elle occupe, dactylographe (agent technique de bureau) ou secrétaire de direction, son travail et ses responsabilités peuvent être extrêmement variables. Les langues, la terminologie d'un domaine particulier et l'informatique font partie des atouts de la secrétaire dont les qualités professionnelles sont irremplaçables.

La gestion 2 - Comptabilité et vente

Comptable ▷

La comptabilité générale d'une entreprise comprend les différentes fonctions comptables qui traitent de l'enregistrement des comptes, de l'équilibrage du budget en fin d'exercice, de l'établissement de la déclaration d'impôts, des relations avec le fisc. Mais dans tous les secteurs, la comptabilité informatique a éliminé les métiers d'écritures, et les nombreux employés de comptabilité, aides-comptables, sont des techniciens qui travaillent sur écran d'ordinateur. Et tout au long de la hiérarchie, des comptables qui traduisent en comptabilité les opérations commerciales, industrielles ou financières, aux chefs comptables responsables de l'ensemble des sections, et aux chefs de comptabilité qui contrôlent et régissent à l'échelon de la direction d'entreprise, tous, suivant leur niveau d'études, sont des spécialistes de l'informatique. Il est donc important, pour aborder la profession de comptable, d'être capable d'utiliser les méthodes informatiques, et pour cela, il faut viser la technicité dès le départ.

Acheteur ▷

Les activités commerciales sont très diverses et se situent à tous les stades entre la fabrication des produits et leurs «points de vente». Elles passent par les spécialistes du commerce international (import-export), les transitaires qui assurent le transport des marchandises, les commissionnaires qui sont les négociateurs du commerce extérieur, et les acheteurs qui approvisionnent les entreprises commerciales ou industrielles, les chaînes de grands magasins, les supermarchés et les commerces indépendants. La mission de l'acheteur est de rechercher les fournisseurs de matières premières ou de produits finis et de sélectionner les marchandises avant de les commander suivant les besoins. C'est une phase importante de l'activité commerciale : pour bien vendre, il faut savoir acheter les produits susceptibles de rencontrer du succès auprès des consommateurs. Intermédiaires entre les importateurs ou les producteurs, les mandataires, les courtiers ou les distributeurs, et les vendeurs chargés de présenter les produits au public, l'acheteur s'occupe d'obtenir les prix les plus favorables et la meilleure qualité, il négocie les délais de livraison, et les conditions de paiement et de crédit. Pour cela, il doit connaître les techniques de commercialisation, les problèmes de relations internationales, ainsi que ceux du magasinage et de la distribution. Il doit aussi avoir le sens des contacts et des échanges.

Chef de production

L'organisation de la production a pour but d'améliorer les performances et la rentabilité de l'entreprise. Pour vendre, il faut produire, et les fonctions du chef de production comprennent d'une part la préparation technique du travail, qui concerne les méthodes de fabrication, et d'autre part la préparation administrative, c'est-à-dire le planning des programmes d'action. Le temps est un facteur important lorsqu'il s'agit de réaliser un projet, une commande, le lancement d'un produit ou d'un nouveau secteur de vente. Il est nécessaire de coordonner les diverses actions qui permettent l'exécution d'un programme dans les délais prévus. Il en va de même pour les stocks dont il faut calculer les périodes de renouvellement et les quantités à commander. Le rôle du chef de production est fondamental pour l'équilibre d'une entreprise. Sens de l'organisation, esprit d'initiative et une solide formation en sciences commerciales mènent vers ce poste de responsabilités.

Analyste financier

En matière de finances, le nombre et la complexité des opérations réalisées à un niveau économique élevé requièrent le concours de spécialistes. La gestion financière a trait à tous les mouvements d'argent effectués dans une entreprise. Le service financier est distinct du service comptable, qu'il contrôle, sauf dans les petites entreprises où ces deux services sont étroitement liés. L'analyste financier gère les opérations courantes et celles nécessaires à la croissance de l'entreprise. D'une part, il établit le budget de trésorerie qui prévoit les sommes d'argent indispensables pour faire face aux échéances des salaires, des fournisseurs, des intérêts. D'autre part, il tient une comptabilité analytique qui consiste à calculer les prix de revient et à établir le budget d'exploitation pour un ou plusieurs exercices. Pour chaque période envisagée, les plans de financement et d'investissement sont fondés sur les prévisions des recettes et des dépenses, ce qui amène l'analyste à évaluer les avoirs et l'endettement, à rechercher de nouvelles sources de financement et, en cas d'emprunt, à s'occuper des relations avec les banques. La maîtrise de ces éléments constitue les bases essentielles de la conduite d'une entreprise, et de très lourdes responsabilités pour l'analyste financier.

Vendeur △

La vente est le stade ultime de la chaîne commerciale, le «moment de vérité» en quelque sorte quant aux choix proposés à la clientèle. La qualité, le prix, la présentation des produits sont importants, mais il y a aussi la manière de les exposer et de les faire connaître. Le rôle du vendeur consiste à accueillir, à renseigner et à conseiller les clients. Dans les grands magasins, les grandes surfaces, les vendeurs sont des spécialistes des différents services de vente, de l'alimentation à l'électronique. Les petites entreprises emploient des vendeurs plus polyvalents, alors que dans le libre-service, ceux-ci sont souvent confrontés à des opérations de manutention et d'administration, même si leur fonction première reste la vente. Et pour faire un bon vendeur, les stages de formation et l'expérience ne suffisent pas, il lui faut aussi le sens du commerce, de la patience et de la courtoisie. Il peut alors devenir chef de rayon, responsable d'un secteur de vente, de l'approvisionnement et du chiffre d'affaires réalisé. Ou encore l'animateur qui crée une ambiance de fête dans le magasin et suscite l'intérêt des consommateurs par des promotions, des cadeaux et des loteries. Les nombreux thèmes qui se succèdent tout au long du calendrier commercial : semaine de blanc, soldes, vacances d'été, de Noël, exigent de l'animateur des ressources d'imagination et d'inspiration en plus d'une bonne stratégie de vente.

Services et publicité

Publicitaire ▽

La publicité, c'est l'art de mettre en évidence les qualités d'un produit, d'un service ou d'une firme et l'ensemble des moyens employés pour mieux vendre. Le publicitaire attire l'attention du public par des messages : dépliants, encarts dans la presse, affiches sur les murs, spots à la télévision. Le lancement d'un produit passe par différentes phases qui sont d'abord la découverte, puis la définition (pour qui ? pourquoi ?) et l'étude de marketing. Il faut ensuite trouver les moyens pratiques de le vendre (comment ?) et réaliser le document-choc ! Enfin, c'est la recherche des médias et des supports qui vont le révéler au public. Si plusieurs activités de la publicité sont reliées aux arts graphiques (photographie, dessin), la formation commerciale du publicitaire, ou chef d'agence, est importante. C'est un métier qui exige une gestion et une technicité rigoureuses, ainsi qu'une grande mobilité et une adaptation constante aux modes et aux techniques nouvelles.

Faciliteur

Les faciliteurs font partie des sociétés de service qui regroupent des économistes, des ingénieurs, des statisticiens, des sociologues, et dont le but est de venir en aide aux entreprises en difficulté. Les progrès de la technologie et de l'informatique ont bouleversé la physionomie des grandes entreprises et certaines d'entre elles se retrouvent enfermées dans une organisation périmée qui freine leur compétitivité. Elles ont alors recours au faciliteur qui va prendre en charge l'information et la communication, et simplifier les structures administratives. Il va rendre à l'entreprise son vrai rôle, celui de produire et de vendre, et lui faire prendre conscience de sa première richesse, celle des hommes et des femmes qui la composent. Faciliter les rapports à l'intérieur des services, permettre une plus grande communication entre salariés, entre employés et cadres, et donner à tous le pouvoir de s'exprimer, c'est apporter à l'entreprise une nouvelle façon de travailler et de progresser. C'est aussi utiliser à sa juste valeur l'imagination, la créativité et l'intelligence de tous, ainsi que leur esprit critique pour améliorer la compétitivité économique et la productivité créatrice. La formation de « cercles de qualité » dans les services permet à chacun de se sentir responsable du produit fini. Transformer un établissement cloisonné en une « entreprise du troisième type » avec une équipe soudée et bien informée, exige de la part du faciliteur un sens aigu des contacts humains.

Ingénieur-conseil ▷

L'ingénierie de conseils est un bureau d'études qui a pour objectif de conseiller les entreprises commerciales ou industrielles dans leur gestion, le choix et la réalisation de leurs projets et les conditions d'investissement qui en découlent. L'ingénierie regroupe des ingénieurs, des techniciens, des dessinateurs qui travaillent en équipe sur les projets, chacun selon sa formation et sa spécificité (industrie, bâtiment, chimie, hydraulique, agronomie) en utilisant les techniques de la statistique et de l'informatique et la conception de fabrication assistée par ordinateur.

L'ingénieur-conseil, ou consultant, étudie la faisabilité d'un programme et conseille l'investisseur au stade de la décision et de la conception du produit ou de l'ouvrage à réaliser (bâtiment, usine, route) ainsi que de la mise en route : conformité d'exécution, conduite des travaux, respect des coûts et des délais, fourniture des équipements. C'est une profession qui mise sur les technologies avancées et le renouvellement continuel des idées, et qui exige de fréquents déplacements à l'étranger et la connaissance des langues (anglais notamment). Les ingénieurs d'affaires, spécialisés dans les appels d'offre et le contact avec les clients (exportation), sont particulièrement recherchés.

Statisticien ▷

Le but de la science statistique est de recueillir des informations chiffrées pour étudier les phénomènes sociaux et économiques, naturels et technologiques. Elle consiste à analyser un grand nombre d'éléments, individus ou séries de faits, pour en déduire des significations ou des prévisions. Les recherches statistiques concernent tous les domaines, l'industrie et le commerce (fabrication en série, études de marché), l'administration (recensement de la population, comptabilité nationale), l'agriculture (rendement alimentaire), la psychologie appliquée (tests) et les sciences. Le statisticien procède à des recherches et centralise des données qu'il récolte au moyen d'enquêtes, de sondages d'opinion, de recensements et de documents. Les résultats sont chiffrés, puis analysés et interprétés. En utilisant le calcul des probabilités, il peut évaluer les situations, les comportements, et établir des projections dans le futur. C'est un travail scientifique qui demande de l'initiative et le goût de l'abstrait.

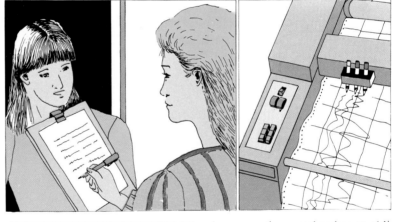

Conseiller de relations publiques

L'information et la communication sont les bases de cette profession qui utilise la publicité pour faire connaître les activités et le rôle économique d'une entreprise et faire vendre ses produits. Les tâches du chargé de relations publiques sont multiples et font de lui à la fois un conseiller et un porte-parole, un journaliste, un documentaliste et un organisateur de réunions et de voyages. Mettre en valeur une entreprise, promouvoir un produit, accueillir les clients et répondre à leurs questions, rechercher et rédiger des informations, écouter et parler au fil d'une actualité et de contacts changeants, donnent à chaque jour un aspect différent. Toutes les grandes entreprises, les administrations, les ministères, certains groupements ont un service de relations publiques pour les informations internes et les relations extérieures. Mais qu'il soit intégré à la société ou qu'il travaille comme conseil indépendant, le chargé de relations publiques a pour mission de concevoir et de proposer des moyens afin d'établir des contacts. C'est un métier passionnant qui nécessite un esprit clair et curieux, et de la rigueur.

La banque et la bourse

Boursier ▷

Les activités de la bourse paraissent un peu mystérieuses et pourtant elles sont d'une importance majeure pour le commerce et les finances car elles touchent tous les secteurs de la vie économique. Une bourse, c'est un marché aux enchères publiques où se vendent des biens et des valeurs. Le boursier, ou traitant (*trader* en anglais, qui veut dire négociant) est celui qui réalise les transactions. Les ordres de bourse sont transmis par télex et téléphone aux boursiers qui négocient les valeurs selon la loi de l'offre et de la demande. Ils se retrouvent autour de la «corbeille» où ils annoncent à haute voix les transactions inscrites sur leur carnet : c'est la criée. Le marché «à la criée» est assisté par ordinateur, ce qui permet de voir affichés sur

écran les noms des établissements cotés, en même temps que les cours du jour et les hausses et les baisses par rapport à la veille. Agents de change, courtiers, arbitragistes et de nombreux employés administratifs sont les partenaires des boursiers pendant ces séances toujours bruyantes et animées. C'est un métier exigeant et sélectif, et la réussite du boursier tient autant à sa personnalité qu'à ses connaissances professionnelles. Un bon équilibre, des réflexes rapides et la passion de son travail lui sont indispensables.

Courtier en bourse ▷

Le courtier (ou *broker* en anglais) est un intermédiaire entre un client désirant acheter ou vendre des valeurs (banque, société financière ou d'assurances, négociant ou particulier), et les bourses étrangères. Il travaille dans une maison de courtage ayant accès à ces bourses, et il est payé à la commission. La forte concurrence dans la recherche d'affaires rémunératrices, fait qu'il est souvent spécialisé en fonction des clients pour lesquels il traite (actions, matières premières, contrats), et dont il est aussi le con-

seiller. Versé en économie, analyse des marchés, prospection, il reste en liaison téléphonique avec d'autres analystes financiers dans le monde et complète son information par la lecture de publications spécialisées afin de se forger une opinion. C'est un métier de service où le contact personnel joue un grand rôle. Il faut beaucoup d'intuition et aimer la compétition et la spéculation pour y réussir.

68

Fondé de pouvoir

Les banques sont des entreprises qui se consacrent au commerce de l'argent et des titres, et leurs fonctions diffèrent selon qu'elles sont nationales, privées ou de crédit. Elles drainent et gèrent les avoirs de la société de consommation et manipulent de grandes quantités d'argent, dont les dépôts, les crédits et les placements constituent les bases de leurs activités. La concurrence les oblige à offrir de plus en plus de choix de comptes et d'investissements à leurs clients, et à créer de nouvelles succursales pour aller à leur rencontre. Le développement de l'informatique, les impératifs du marketing et la diversité des activités bancaires, exigent l'emploi d'un nombreux personnel, qui comprend des spécialistes de l'ingénierie financière, des cadres de haut niveau et des employés spécialisés dans les différents services et opérations de perception et de dépenses des revenus, de comptabilité, de gestion et de secrétariat. Le fondé de pouvoir est un attaché de direction qui veille sur les fonds et les valeurs qui lui sont confiés et qui dirige les services de dépôts, de titres et de changes, ainsi que le personnel chargé d'accueillir et de conseiller les clients. C'est une lourde responsabilité qui suppose des connaissances approfondies en sciences politiques et économiques.

Gérant de fortune

La gestion de portefeuille est un service que la banque rend à ceux de ses clients qui désirent investir une certaine somme d'argent pour en obtenir un revenu. C'est par l'intermédiaire du gérant de fortune, ou conseiller en placement, qu'elle leur propose d'acheter des obligations, des actions ou des parts de fonds de placement. Mais cet apport de capitaux permet aussi à la banque de faire circuler l'argent, de le placer ou le prêter. L'aménagement d'un portefeuille n'est pas une tâche facile et dépend d'abord de la situation personnelle du client et de l'importance de sa fortune. D'autre part, la situation politique, économique et monétaire est variable et la fluctuation des cours de change assez imprévisible. Le gérant de fortune propose, suggère, donne une analyse des possibilités de placement, conseille de défendre un capital ou au contraire de l'accroître, d'acheter des valeurs à revenus fixes ou des valeurs boursières, mais la décision revient au client. A moins que celui-ci ne confère un mandat de gestion à son banquier qui peut alors procéder aux placements conformément à la politique de sa banque, tout en tenant compte des désirs de son client. Une honnêteté et une intégrité scrupuleuses sont indispensables pour bien exercer ce métier, car il est difficile de travailler avec l'argent des autres. Il faut aussi une formation en matière d'économie, d'analyse financière et de techniques bancaires, ainsi que le sens de la psychologie du client.

Guichetier   ▷

Pour le public, le côté « visible » de la banque, ce sont les guichets d'accueil où il peut déposer son argent, encaisser des chèques, poser des questions sur la manière d'ouvrir un compte courant, un compte de dépôt. Le guichetier reçoit le client, réceptionne les sommes d'argent, ou les paie en fonction de l'ordre reçu et dans la limite des fonds déposés. Il vérifie sur terminal d'ordinateur si le visiteur est solvable, ou lui indique la position de son compte, et transmet le chèque au caissier. Toutes les opérations sont informatisées ; données et résultats sont affichés instantanément. C'est ainsi que chaque soir il compose les paquets de chèques transmis par les grosses entreprises. Le travail administratif du guichetier est parcellaire et donc peu varié mais compensé par le contact avec les clients. Sa mutation d'un service central à l'une ou l'autre des agences renouvelle son activité, et son expérience lui donne des possibilités d'avancement. Il peut devenir guichetier-plan, ce qui l'amène à conseiller une certaine catégorie de clients, dont il connaît la position bancaire et avec qui il traite des possibilités de crédit. Diplômes et capacités sont importants pour son changement de situation, sérieux et intégrité le sont encore plus.

Assurances et Trésor public

Assureur ▽

Le siège social d'une société d'assurances est une vaste entreprise très informatisée, divisée en deux branches principales qui sont : l'assurance des personnes (dommages corporels et assurances-vie) et l'assurance des biens, dommages et responsabilités (incendie, vol, transports, accidents et risques divers). A l'instar des grandes entreprises, les compagnies d'assurances comportent des directions distinctes pour les secteurs administratif, commercial, financier et technique. La direction administrative comprend, outre le personnel, l'informatique et la comptabilité, le service d'expédition des polices et des quittances que l'on reçoit régulièrement. La direction commerciale s'occupe des nouveaux contrats, de l'inspection et des agences (inspecteurs, agents généraux et courtiers), et la direction technique étudie les règlements des sinistres (lors d'accidents, de catastrophes), les dossiers litigieux, et correspond avec les avocats s'il y a lieu. L'assureur, ce sont en fait des milliers d'employés, de techniciens, de spécialistes, qui épluchent chaque dossier en protégeant de loin leurs clients. Mais pour l'assuré, c'est plus généralement l'agent d'assurances ou le courtier : l'intermédiaire entre la compagnie et le particulier, à qui l'on peut téléphoner s'il se passe quelque chose ou demander conseil; celui chez qui le contrat a été signé. Et le contact personnel a dans ce cas une valeur certaine.

Autorisateur ▷

L'accroissement des biens de consommation, et leur protection entraîne le développement des assurances. Et la gestion de cette prévoyance exige un nombre grandissant de spécialistes. Parmi eux se trouvent des informaticiens, des statisticiens, des actuaires (études statistiques des risques et leur coût par rapport à l'équilibre financier) et des autorisateurs. L'autorisateur est un rédacteur du service de la production, des sinistres ou du contentieux chargé d'étudier les risques très importants ou exceptionnels qui posent des problèmes sur le plan juridique. Car si une assurance c'est, moyennant une prime, garantir ou faire garantir un risque par contrat, et si l'assureur s'engage par là à indemniser l'assuré d'un dommage éventuel, les accidents ou les dégâts sont tous différents les uns des autres et nécessitent une attention particulière à chaque fois. Les cotisations comme les indemnités sont calculées très exactement suivant la nature des risques et des dommages, et la gravité de certains d'entre eux peut engendrer des complications lourdes de conséquences. Ces cas particuliers, impliquant de sérieuses connaissances en droit administratif et juridique, font partie des tâches de l'autorisateur.

Courtier d'assurances

Contrairement à l'agent général d'assurances qui représente une compagnie auprès de ses clients, le courtier est mandataire de ses clients, c'est-à-dire qu'il représente les assurés auprès des compagnies d'assurances. Ce commerçant indépendant est diplômé en droit ou d'une école spécialisée d'assurances, et agit en tant que personne ou en tant que société. Il n'est lié à aucune compagnie en particulier, mais il choisit au contraire, suivant les risques à assurer, la compagnie d'assurances qui garantira le mieux son client. Propriétaire de son portefeuille, il est libre d'organiser son travail à sa guise. Pourtant, comme il n'est pas salarié et qu'il touche une commission sur chaque affaire traitée, ses gains dépendent de la quantité de contrats signés. C'est une tâche astreignante qui représente un nombre incalculable d'heures de déplacement, de présence auprès des assurés potentiels, de discussion pour les protéger au mieux de tous les risques possibles, chaque cas étant particulier. Il faut aimer les contacts humains pour exercer ce métier, être bon psychologue et patient, parce que l'assureur, pour ses clients, est aussi un conseiller. Il a la responsabilité de défendre leurs intérêts face aux rouages impersonnels des assurances, étant celui qui connaît la personnalité et l'entourage de chaque assuré, et qui peut expliquer le plus véridiquement les circonstances en cas de litige.

Trésorier-payeur

Le trésorier-payeur général est un haut fonctionnaire de l'Etat qui gère la comptabilité du Trésor public au niveau d'un département. Il recueille le montant des contributions directes que lui remettent les percepteurs, et centralise les amendes et les revenus des biens publics. Il reçoit également les fonds que lui confient les particuliers, argent utilisé pour l'achat et la vente de valeurs, telles que rentes, obligations ou bons émis par l'Etat, et dont il verse les intérêts aux bénéficiaires. Il calcule et redistribue les fonds nécessaires à l'aménagement et à l'entretien des biens publics. Toutes ces opérations comptables sont d'une grande complexité et portent sur des sommes énormes. Plusieurs spécialistes (comptables, experts, inspecteurs, contrôleurs) aident le trésorier-payeur général dans sa tâche de gestionnaire, dont il est entièrement responsable devant l'Etat.

Percepteur   ▷

Le percepteur est le comptable du Trésor public chargé du recouvrement des contributions directes, c'est-à-dire des impôts sur le revenu, pour le compte de l'Etat, et des taxes diverses perçues par les communes : professionnelles, d'habitation et foncières (propriété bâtie et non bâtie). Le montant des impositions est fixé suivant les déclarations des contribuables recueillies par l'inspecteur des contributions, et le percepteur encaisse pour le Trésor public les sommes convenues. Il règle aussi pour le compte de l'Etat un certain nombre de dépenses officielles. Son rôle est indispensable au fonctionnement de l'Etat, mais c'est un rôle ingrat, et le percepteur ne jouit pas d'une très grande popularité auprès des contribuables. Il doit savoir faire preuve de compréhension aussi bien que de fermeté, et avoir, bien sûr, le goût des chiffres et des responsabilités.

Le bâtiment - 1

Architecte ▷

L'architecte est autant un artiste qu'un technicien. Il conçoit les plans des habitations, des édifices publics ou des ouvrages technologiques en tenant compte des règles de l'utilisation des sols, de la résistance des matériaux et des normes administratives. Il crée ou recrée un lieu en l'adaptant à sa destination (logement, travail, loisir, rendement industriel) et à son environnement (climat, tradition, histoire). Il veille au confort et à la commodité des utilisateurs tout en observant les intérêts des promoteurs. L'architecte exerce son métier en indépendant, seul ou associé avec d'autres architectes, ou comme salarié au service d'une administration, d'une collectivité

(en gardant toutefois une clientèle privée). Il peut encore être architecte chef des bâtiments, palais et monuments pour le compte de l'Etat. C'est une profession qui demande plusieurs années d'études pour accéder au diplôme et avoir la possibilité de réaliser un projet : établir des plans, préparer une construction et en contrôler l'exécution. Elle requiert imagination et culture, mais aussi connaissances techniques et scientifiques, sens esthétique et sens pratique à la fois.

Urbaniste △

Contrairement à l'architecte, l'urbaniste ne construit pas des bâtiments mais s'occupe de l'aménagement des villes. Le développement des localités, l'accroissement des populations et des moyens de transport créent de nombreux problèmes d'aménagement et de rénovation de certains quartiers, des voies d'accès et de circulation et des réseaux de canalisations. L'urbaniste est un spécialiste de la planification, à la fois architecte et économiste, sociologue et géographe. Son rôle est de veiller aussi bien à l'esthétique d'une cité qu'à sa salubrité, de répartir rationnellement les zones d'habitation, de travail et de loisirs, de créer des quartiers nouveaux tout en sauvegardant les monuments anciens. Il est chargé de la conception et de la réalisation des plans qui distribuent les constructions selon leurs fonctions et organisent les équipements collectifs nécessaires aux besoins d'hygiène, de modernité et de sécurité. Ingénieurs, juristes, écologistes contribuent à ces gigantesques transformations, ainsi que les paysagistes, architectes des espaces verts.

Entrepreneur

L'entrepreneur est le chef (ou le propriétaire) d'une entreprise de construction qui se charge de bâtir une maison individuelle, un immeuble, une usine pour le compte d'un client public ou privé. Le gros œuvre constitue la base de la construction et lui confère sa stabilité, sa résistance et sa protection, ce sont les fondations, les murs, la charpente et le toit ; le second œuvre représente les ouvrages complémentaires assurant la distribution, les fermetures et les revêtements ; l'agencement intérieur comprend la plomberie, l'électricité, le chauffage, la menuiserie, la tapisserie. L'entrepreneur assume la réalisation et le contrôle de tout l'édifice ou, selon sa spécialisation, une des étapes de la construction, ou encore l'une des formes de construction : briques, pierres de taille, terre compactée ou béton, charpentes métalliques ou en bois. A la signature du contrat, il s'engage à bâtir suivant les plans choisis, avec les matériaux convenus et dans la limite des dates définies. La construction d'un bâtiment est un travail d'équipe qui rassemble un grand nombre d'ouvriers spécialisés, des techniciens et des chefs de chantier sous la direction du conducteur de travaux. Mais c'est à l'entrepreneur qu'incombe la responsabilité de l'ensemble : respect des délais, du budget, sécurité et conformité.

Géomètre-expert

La géométrie est une discipline mathématique qui étudie l'espace et les formes qu'on peut y faire figurer ; la topographie est l'art de représenter sur un plan les formes d'un terrain avec ses reliefs et ses détails. Spécialiste de ces deux matières, le géomètre-expert travaille au remembrement des terres, au nouveau tracé des voies publiques, au plan cadastral d'une maison ou d'un groupe de maisons. Il est responsable de l'exécution de ces travaux et il est habilité à arbitrer les conflits en cas de contestation. Sur le terrain, il utilise des instruments de mesure extrêmement précis pour effectuer les travaux de relevé et d'estimation des terrains ; un travail qui se fait en équipe avec d'autres géomètres, qui, suivant leurs capacités, sont opérateurs, techniciens ou ingénieurs. Le géomètre-expert peut exercer sa profession comme indépendant, attaché à une entreprise ou bien dans un service public (cadastre, urbanisme). Les activités de la topographie sont très variées et peuvent concerner aussi bien l'établissement de plans à grande échelle d'une région entière que le plan à échelle réduite d'une seule propriété. C'est un métier qui allie le travail au grand air et le travail de bureau et qui requiert une bonne santé physique, de la mémoire et une grande minutie.

Chef de chantier ▷

Le chef de chantier dirige les travaux sur le lieu de construction. Il a la responsabilité des équipes d'ouvriers spécialisés, des échafaudages, des matériaux entreposés, des engins de terrassement et des machines-outils (sécurité, surveillance, entretien). Il transmet les ordres de l'entrepreneur (ou du conducteur de travaux) aux chefs des équipes de maçons, coffreurs, charpentiers, couvreurs. Il recherche la main-d'œuvre nécessaire aux diverses phases de la construction et tente, par sa connaissance des hommes et du travail à effectuer, de former des équipes homogènes et efficaces. La qualité d'exécution et le rendement sont indispensables

au bon déroulement des travaux. Le chef de chantier est très souvent lui-même un ouvrier qui s'est distingué par ses qualités professionnelles. Des cours de perfectionnement et son sens du commandement l'ont amené à ce poste de responsabilités.

Le bâtiment - 2

Briqueteur ◁

La terre cuite a de tout temps été utilisée pour bâtir des maisons. Murs, cheminées, canalisations et toits sont toujours faits de briques et de tuiles façonnées dans l'argile. Le tuilier-briquetier fabrique industriellement ces éléments de construction : plaquettes de formes variables, plates ou arrondies pour les tuiles (tuile canal, romaine, mécanique), ou de formes géométriques pour les briques ordinaires ou creuses (brique plâtrière et brique de parement). Elles sont moulées mécaniquement et cuites dans des fours à cuisson continue. La maçonnerie de brique, ou briquetage, représente une forme particulière de maçonnage, et le briqueteur est un spécialiste des techniques d'assemblage qui assurent à la construction sa solidité, son étanchéité et son esthétique. A l'intérieur des bâtiments, les conduits de fumée et d'aération et les canalisations d'évacuation de l'eau sont construits en briques et incorporés aux murs (qu'ils soient en brique, pierre ou béton). L'édification des façades, où les briques sont apparentes et harmonieusement entrecroisées, demande une grande habileté au spécialiste briqueteur qui sait marier les différentes teintes de terre cuite pour réaliser des motifs de décoration. C'est un métier de plein air où l'on retrouve la technicité alliée à l'imagination créatrice.

Maçon ▷

C'est un métier aussi vieux que la civilisation des hommes. Toutes les constructions, de la plus haute Antiquité à nos jours, témoignent de l'art du maçon. Spécialiste du gros œuvre, il bâtit les fondations et les murs des édifices en superposant et en ajustant les pierres, les briques ou les agglomérés (éléments préfabriqués en béton) qu'il lie entre eux avec du mortier de chaux ou de ciment. Le maçonnage d'un bâtiment se fait selon les plans de l'architecte et le maçon calcule très précisément chaque droite, angle ou courbe avec ses instruments de mesure, dont le niveau à bulle et l'équerre. Les échafaudages qui s'élèvent au rythme de la construction et les

grues qui amènent les matériaux à mesure des besoins, sont les précieux auxiliaires du maçon. Cela reste malgré tout un métier rude : il faut être dehors par tous les temps à manipuler parpaings et mortier.

Mais c'est un métier de professionnel qualifié qui apporte la satisfaction de réaliser un travail utile et beau. Les bons maçons sont recherchés, et l'artisan est sûr de garder une clientèle fidèle.

Coffreur

Le béton est un mélange de gravier et de sable malaxé dans une bétonnière avec de l'eau et du ciment. Pour obtenir des éléments de construction, le béton est coulé dans un coffrage en bois selon les mesures exactes requises par chacun d'eux. Lorsqu'il s'agit de béton armé, celui-ci est coulé autour d'une armature métallique qui augmente sa résistance à la torsion et à la traction. Le coffrage en béton est une opération fort délicate qui demande toute la technique professionnelle du coffreur. Il se fait sur le chantier de construction, et chaque moule y est confectionné séparément avec des planches mesurées, sciées, ajustées, clouées. Les éléments sont préparés conformément aux calculs précis de l'architecte, que ce soit pour un mur droit ou une voûte, une arche de pont ou une tour ronde. Les formes et les volumes les plus compliqués sont reproduits dans le détail par cet extraordinaire charpentier qu'est le coffreur en béton. C'est un travail qui exige un respect scrupuleux des normes indiquées, car chaque élément est calculé en fonction de la place qu'il occupera ainsi que du poids et des contraintes qu'il devra subir. Il faut de la résistance physique, de l'imagination et une grande précision manuelle et intellectuelle pour exercer ce métier qui allie la subtilité à la force.

Couvreur   ▷

Le couvreur est l'ouvrier qualifié, ou l'artisan, qui pose les matériaux de surface pour assurer la couverture (toit) des maisons, ou leur réparation. Il est souvent spécialisé dans une sorte de revêtement, tuiles, ardoises ou feuilles de zinc, mais le procédé reste le même d'une toiture à l'autre. Les chevrons sont les pièces obliques qui terminent la charpente du toit et lui donnent son inclinaison. Ils sont posés sur les pannes (pièces horizontales de la charpente) et portent les lattes, ou voliges, sur lesquelles est fixée la couverture.

Les feuilles de zinc y sont agrafées et les ardoises y sont clouées, les tuiles canal (arrondies) sont posées sur des chevrons en triangle et les tuiles mécaniques (plus pratiques mais moins jolies) sont emboîtées les unes dans les autres. La ligne de faîte, où se rejoignent les deux versants du toit, est recouverte de zinc, comme l'est aussi le pourtour des cheminées, ou d'une rangée de tuiles faîtières demi-rondes. L'ajustage doit être précis et parfaitement étanche. Mais quelle que soit la technique de couverture, c'est un métier qui, même s'il ne s'exerce généralement que par beau temps, reste dangereux et nécessite de l'habileté manuelle, de l'équilibre et une bonne santé.

Peintre en bâtiment   ▷

Pour terminer une construction et la rendre habitable, il faut que les surfaces brutes du gros œuvre et du second œuvre soient recouvertes de plusieurs couches de peinture, ou de vernis pour le bois, afin de les protéger et de les enjoliver. Le peintre en bâtiment se charge de la finition intérieure après le passage du plâtrier. Celui-ci est un spécialiste du revêtement des cloisons et des plafonds qui, par sa technique du «gâchage» (malaxage) du plâtre, les rend lisses et uniformes. Le peintre agrémente les parois des différentes pièces en les peignant selon les couleurs choisies par les décorateurs. Le peintre ravaleur s'occupe, lui, des murs extérieurs. Il lave, gratte, égalise les surfaces, puis il les peint ou les imprègne, suivant le matériau de construction utilisé, à partir des échafaudages qui cernent le bâtiment. Les travaux de peinture intérieure, moins dangereux quant aux conditions d'exécution, exigent une plus grande résistance aux émanations chimiques des produits, et beaucoup de minutie.

Le génie civil

Conducteur d'engins ◁ de chantier

Les travaux de terrassement exigent une grande expérience de la part du conducteur d'engins. Ce terrassier moderne a troqué sa pelle et sa pioche contre un outil mécanique beaucoup plus fort et plus rapide, qu'il faut savoir manier avec précision. Le bruit, la poussière et la boue font toujours partie de son métier, mais la dépense d'énergie et les difficultés sont différentes et les responsabilités accrues. Une pelle hydraulique possède de nombreux équipements qui varient selon qu'elle doit creuser, charger de la terre ou des pierres, forer des trous, abattre des arbres ou les transporter. Des écoles techniques et des stages de formation apprennent la conduite et l'utilisation des engins, bulldozers, scrapers, niveleuses, pelleteuses, bennes à moteur. Le travail diffère suivant les chantiers et la nécessité des divers équipements. Un bon conducteur d'engins peut devenir chef d'équipe ou être envoyé à l'étranger par son entreprise de construction. Pour le grutier, le travail est plus délicat et plus dangereux, car une erreur de manœuvre peut mettre en péril la vie de ses compagnons. C'est un poste de confiance qui requiert des garanties de sérieux et de compétences.

Charpentier en fer ▷

Le métal a remplacé le bois pour toutes les structures d'une certaine importance, car il est doué de propriétés mécaniques que ne possède pas le bois, il peut se plier et s'étirer sans se rompre. Et de nouveaux alliages, testés dans l'espace, permettent de réaliser des ouvrages plus légers et sûrs. Agencées selon un plan régulier, les poutrelles de fer s'ajustent et se croisent pour former l'ossature des bâtiments industriels et des immeubles, des hangars, des stades aux avancées en porte à faux, des plates-formes, des piliers et des arches de ponts, des pylônes. Les plans d'une charpente métallique sont conçus dans un bureau d'études et les travaux de préparation des éléments sont réalisés dans un atelier de fabrication. Les poutrelles sont découpées aux dimensions voulues, percées, meulées et «sablées», puis recouvertes d'une peinture de protection contre la rouille. Elles sont ensuite acheminées vers le chantier où le charpentier en fer procède à leur assemblage en les boulonnant les unes aux autres, suivant l'ordre prévu par l'architecte. La charpenterie métallique est un métier de spécialiste pour lequel force, résistance physique et dextérité sont indispensables, mais le charpentier doit surtout être insensible au vertige, étant donné que ces «toiles d'araignée» géantes peuvent atteindre des hauteurs impressionnantes.

Dessinateur d'études △

Le dessinateur d'études est le réalisateur des plans d'un ouvrage. A partir des croquis des géomètres et des calculs des ingénieurs, il traduit le projet en dessins graphiques comprenant toutes les cotes théoriques et les degrés de flexibilité nécessaires à la résistance de la construction. La conception de fabrication assistée par ordinateur permet une extrême précision en même temps qu'une grande rapidité d'exécution. Elle a révolutionné le travail des dessinateurs et des projeteurs qui, délaissant la planche à dessin, tracent sur écran les épures et les schémas des divers éléments de construction. Que les plans concernent le bâtiment, les travaux publics ou l'industrie, l'ordinateur donne la possibilité de visionner dans le détail chaque phase du projet et de connaître avec exactitude les points de friction, de tension ou d'échauffement qui doivent être renforcés. Le dessinateur d'études est de plus en plus un technicien en génie mécanique, électrique, électronique ou génie civil, et s'il existe différents diplômes de dessinateurs en construction, tous comportent une formation technologique et mathématique approfondie.

Peintre de pylônes △

C'est un métier tout à fait particulier qui ne demande aucune qualification précise, sinon d'ignorer la peur. Ce peintre est une sorte d'acrobate bariolé qui repeint tout au long des mois de la belle saison les pylônes des lignes électriques. Il n'est pas un électricien, mais un employé salarié d'une société privée, sous-traitante de la compagnie d'électricité, payé à la tâche, c'est-à-dire à la tonne de métal peint ! Les innombrables pylônes qui parsèment le pays sont repeints une fois tous les quinze ou vingt ans, en gris le plus souvent, en vert parfois, ou aux couleurs du balisage aérien, en rouge et blanc. Juché à des dizaines de mètres au-dessus du sol, le peintre de pylônes allonge ses grands coups de pinceau des heures durant, agrippé d'une main et dans les poses les plus invraisemblables, debout, couché ou à califourchon. Dans le dangereux voisinage de milliers de volts, suspendu entre

ciel et terre, sa sauvegarde dépend de son sens de l'équilibre et de sa prudence. Le risque de chute ou d'électrocution est toujours présent, pourtant le travail doit être accompli dans les délais d'un planning rigoureux. Et même s'il est bien rémunéré, c'est un travail pénible et périlleux qui n'est pas à la portée de tous.

Ingénieur de projet

Les grands ouvrages de construction, comme les autoroutes, les tunnels, les barrages, nécessitent la mise en œuvre de moyens énormes, tant technologiques qu'humains. La décision d'exécuter un tel ouvrage se prend à un haut niveau administratif et financier, dans un souci de modernisation et de rentabilité des structures économiques d'un pays. Diverses possibilités de réalisation sont envisagées et soumises à des bureaux d'études dont le meilleur projet sera adopté par concours. Les plans présentés par les ingénieurs comprennent tous les tracés géologiques et topographiques, les calculs de résistance des matériaux, les

plannings de main-d'œuvre, des machines et des matériaux, le budget, y compris le coût des expropriations s'il y en a, l'ordonnancement des travaux et les délais. L'ingénieur de projet doit tenir compte des nombreux facteurs en présence concernant la configuration du terrain et les investissements mécaniques qu'elle suppose, ainsi que des incidences économiques et écologiques. Il travaille dans un bureau d'études ou un bureau des méthodes, entouré de projeteurs, de dessinateurs, de techniciens. Lui-même est un ingénieur généraliste, polytechnicien et mathématicien, dont les connaissances s'étendent aux divers domaines qui entrent dans la conception d'un projet, comme la géologie, l'agronomie, l'hydraulique et le génie civil.

Industrie et techniques du bois

Menuisier ▷

La menuiserie artisanale est très concurrencée par la menuiserie industrielle qui produit en séries des meubles et des éléments d'agencement intérieur (portes, fenêtres, placards, cuisines encastrées, plinthes et volets), dont les mesures normalisées s'intègrent aux bâtiments modernes. Ce que le menuisier industriel fabrique sur des machines, l'artisan menuisier le fait de ses mains, et la qualité de son travail est appréciée des amateurs d'œuvres originales. Il est capable de concevoir et de réaliser tous les ouvrages en bois destinés à embellir une maison : boiseries, parquets, escaliers, bibliothè-

ques, fermetures et encadrements. Il dessine et mesure chaque pièce de bois, puis il les scie, les dégauchit, les rabote. Il façonne les tenons (parties en relief) et les chevilles, et creuse les mortaises (trous) qui doivent les recevoir lors de l'assemblage. Il pose lui-même les éléments qu'il a confectionnés

pour les ajuster et en parfaire la finition, les teinter, les vernir. Le menuisier aime le bois dont il connaît toutes les propriétés comme les moindres défauts, et il ajoute à ses compétences professionnelles, des connaissances en dessin et en calcul, de l'imagination et une grande habileté manuelle.

Conducteur de scierie

Technicien de l'industrie du bois, le conducteur de scierie est un mécanicien spécialisé dans l'utilisation des machines-outils à bois et

les techniques de sciage des différentes essences de grumes. Il fournit aux entreprises de construction et de fabrication les pièces de bois calibrées suivant l'usage qui en est fait : poutres, plateaux, planches, lamelles. Chaque grume est distincte des autres par sa forme et

nécessite un travail de préparation particulier. Les méthodes de débitage tiennent compte des fibres du bois, de sa densité, de son âge et de son degré d'humidité : un chêne ou un sapin, un noyer ou un peuplier ont des textures très dissemblables, et la provenance de chaque espèce peut encore en modifier les caractéristiques, ce qui change leur destination et leur maniement. Les machines-outils sont entretenues avec soin et les lames des scies affûtées régulièrement, de manière à produire des coupes nettes. De plus, l'épaisseur et la largeur des pièces de bois sont calculées minutieusement afin de laisser un minimum de déchets. Scieurs et affûteurs travaillent, tout comme le conducteur de scierie, dans un bruit permanent, strident, et leurs activités comportent des efforts physiques importants.

Ebéniste ▷

L'ébéniste est un artisan qui confectionne des meubles en bois, de style ou modernes, et qui sait restaurer les meubles d'époque. C'est aussi un artiste qui crée des formes nouvelles et un spécialiste des bois d'essence rare qu'il utilise en placage ou en marqueterie. Après le corroyage (dégrossissement du bois par rabotage), il façonne et assemble les pièces. Le montage terminé, il procède au placage et au

vernissage, puis à la pose des ferrures. S'il ajoute à ses talents la sculpture sur bois, il peut enrichir un bahut rustique ou une commode de style de figures et d'ornements en relief, creusés et modelés préalablement sur les éléments de portes, de tiroirs. L'ébéniste connaît tous les styles de meubles et les techniques à utiliser pour les reproduire. Et, bien que les industries mettent des copies sur le marché, le meuble fabriqué à la main garde une facture plus inédite, plus artistique, qui attire des architectes, des décorateurs et des clients connaisseurs.

Tourneur sur bois

Dans l'atelier du tourneur sur bois se préparent tous les éléments d'ameublement et d'agencement intérieur d'une maison qui comportent des formes arrondies : barreaux de chaises ou de rampes d'escaliers, pieds de meubles et colonnettes d'ornement. On y réalise aussi des roues, des boules, des quilles, des bobines. Le tourneur choisit les bois suivant leur application et leur destination, dur ou tendre, blanc, brun ou rouge. La pièce de bois est fixée entre le mandrin (animé d'un mouvement rapide de rotation) et la contrepointe d'un tour, machine-outil du tourneur. A l'aide d'un chariot armé d'une gouge, sorte de ciseau creux, celui-ci fait des entailles qui se transforment en moulures régulières ou en un arrondi lisse, selon la forme qu'il veut donner au bois et la gouge utilisée. Le tourneur est parfois spécialisé dans la fabrication des instruments de musique à vent, tels que flûtes, clarinettes, hautbois, ocarinas, dont la pureté des sons dépend autant de la précision du travail que du bois. Et certaines régions, réputées pour leurs pipes, sont fières de l'habileté de leurs tourneurs.

Technicien du bois △

Le bois reste une des principales matières premières de l'industrie et ses utilisations sont nombreuses et diverses. Les grumes sont sciées et débitées en planches, lambourdes ou lamelles, et deviennent le bois d'œuvre utilisé pour les charpentes, les planchers, la menuiserie (mobilier, boiseries, marqueterie), la tonnellerie et la caisserie, le boisage des mines et des tunnels, les traverses de chemin de fer. Défibré, réduit en pâte et blanchi à l'aide de chlore, le bois est transformé en papier. Il est plus ou moins raffiné pour donner le papier journal ou le papier à lettres, et les déchets servent à fabriquer le carton. D'autres techniques de transformation du bois permettent d'obtenir des panneaux par assemblage et collage de lames minces, comme le contreplaqué (à fibres croisées) ou le lamellé-collé ; le bois amélioré est un placage imprégné de résines synthétiques, et l'aggloméré, un compactage de fibres et de particules (copeaux, sciure). Le technicien du bois est un spécialiste de l'une ou l'autre de ces techniques. Selon la formation choisie, il se dédie à l'industrie et commerce du bois (scierie, bâtiment, agencement ou ameublement) ou à l'industrie de transformation et dérivés du bois. Ce sont des métiers qui impliquent des connaissances allant de la forêt au produit fini, en passant par toutes les essences et la manière de les travailler.

Les mines et le pétrole

Géologue   ▷

La géologie est un terme général qui englobe toutes les sciences de la Terre : les géosciences. Elles étudient l'écorce terrestre et son histoire, et comprennent la géophysique, la géochimie, la pétrographie, la sédimentologie, la minéralogie, la géologie structurale, ou tectonique. Ce qui veut dire que le géologue généraliste a cédé la place au spécialiste et que sur le terrain le travail s'accomplit souvent en équipe pluridisciplinaire. Le géologue étudie la Terre dans la réalité, à l'échelle des continents et de la planète entière, et dans le temps, comme milieu contenant les restes (fossiles) des êtres vivants qui s'y sont succédé. Pour situer dans le temps l'histoire de la Terre, il utilise des méthodes de datation absolue et relative (carbone 14 et stratigraphie), et il divise les temps géologiques en ères et périodes à plusieurs étages, ce qui permet une classification chronologique des événements survenus depuis quatre milliards et demi d'années. En tant que science appliquée, la géologie joue un rôle économique considérable en permettant de définir et de situer les différents types de gisements (minerais métalliques, pétrole, gaz, charbon) et les eaux souterraines, et en déterminant les modes de construction des grands ouvrages (barrages, tunnels, viaducs). Le géologue est avant tout un homme de terrain, appelé à voyager et capable d'affronter les difficultés climatiques et les incertitudes politiques. Mais c'est un métier passionnant qui vaut les longues années passées à l'étudier.

Prospecteur   ▽

Le prospecteur est un géologue spécialisé dans la recherche minière. Et si celle-ci s'est ralentie en ce qui concerne le cuivre, le plomb et l'uranium, ainsi que le mercure et l'amiante qui sont néfastes pour la santé de l'homme, en revanche, l'or, l'argent et le platine, le zinc

et l'étain sont toujours très demandés. Le marché du charbon est prospère dans le monde entier (sauf en Europe), et quant au pétrole, sa recherche continue sur terre et *off-shore* (en mer) un peu partout, bien que les réserves en soient limitées. Les énergies de substitution ne sont pas encore suffisamment développées, et le pétrole reste un débouché privilégié. Avant de partir sur le terrain, le prospecteur doit organiser l'expédition et en négocier les conditions avec les autorités. Il doit ensuite délimiter la région supposée renfermer un gisement, que ce soit de l'or ou du pétrole. Ses moyens de détection sont la reconnaissance aérienne et la télédétection (par satellite), le prélèvement d'échantillons sur place et les mesures géophysiques. Et si le projet prend forme, il demande alors l'exécution de tranchées, de puits, de sondages, dont il supervise les travaux. Dans les programmes de recherche importants, le prospecteur travaille avec toute une équipe pour étudier les roches traversées et faire l'estimation du gisement.

Ingénieur des mines

Si l'approche du géologue est scientifique, celle de l'ingénieur des mines est plus axée sur la pratique. Il est un spécialiste des minerais et de leur extraction. La mise en exploitation d'un gisement se fait sous sa conduite et comprend le creusement des puits d'accès, l'aération, l'acheminement de l'outillage et l'évacuation des matériaux extraits, l'alimentation en électricité (lumière, machines, monte-charges) et la pose des câbles et des rails. Il doit veiller à la sécurité des équipes de forage et surveiller l'étayage des galeries et l'élimination des eaux d'infiltration à mesure de leur progression. Les méthodes d'excavation varient d'un minerai à l'autre, et celles du charbon exigent des connaissances très particulières et des mesures de sécurité accrues du fait des poches de gaz (grisou) qui peuvent se former. L'ingénieur des mines doit tenir compte, tout comme l'ingénieur foreur d'une exploitation pétrolière, de la nature du sous-sol, du climat et des conditions de maintenance des équipes pour organiser le travail. Omniprésent sur le terrain, il dirige les opérations et contrôle la production avec l'aide des techniciens et des maîtres mineurs, prêt à donner de nouvelles consignes en cas de difficultés.

Mineur ◁

De nombreuses substances métalliques, minérales ou fossiles sont présentes dans le sous-sol de la Terre. Certaines d'entre elles, situées à la surface, sont extraites à ciel ouvert, comme la bauxite, les phosphates. D'autres sont au contraire enfouies dans l'épaisseur des couches rocheuses et nécessitent le creusement de mines qui peuvent atteindre plusieurs centaines de mètres de profondeur, c'est le cas pour les diamants, le charbon. Creuser les puits, les galeries et les étayer, extraire le minerai, le charrier dans le bruit des excavatrices, des perforatrices et des explosifs, dans la poussière et l'humidité, est un travail pénible et dangereux. Ce métier souterrain, c'est celui du mineur, qui est exposé, malgré les mesures sévères de sécurité, à la menace constante des gaz, des inondations, des éboulements. Le mineur est un homme solide, au caractère bien trempé, qui, s'il en a les capacités, peut accéder au poste de maître mineur, responsable des équipes de fond et de la conduite des travaux en collaboration avec l'ingénieur.

Foreur ▷

Pour découvrir du pétrole ou du minerai dans le sous-sol, il est nécessaire de forer des trous, profonds parfois de centaines de mètres. La technique du carottage permet de faire des analyses sédimentologiques du terrain et de déterminer un gisement. A partir de la pose d'un derrick (charpente en métal supportant l'appareil de forage), sur la terre comme sous la mer *(off shore),* le creusement du puits s'effectue à l'intérieur d'un tubage, par rotation du trépan, couronne d'acier munie de diamants synthétiques, capable de traverser les roches les plus dures. Les tiges de forage sont reliées à un moteur puissant, la table de rotation, et vissées les unes aux autres à mesure de l'enfoncement. Ce maniement difficile et délicat est réalisé par un spécialiste, le foreur. Il travaille en équipe dans des conditions de climat et d'isolement souvent pénibles, et dans un esprit d'assistance mutuelle indispensable. Le foreur est un homme efficace, dur à la tâche, une sorte de «nomade planétaire» qui se déplace d'un bout à l'autre du monde, chaque fois que son habileté est requise.

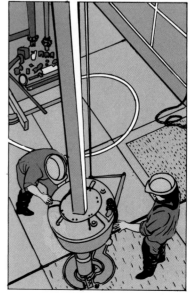

La métallurgie

Lamineur ▷

Le laminage est une des transformations de l'acier, et le mot sidérurgie (qui vient du grec *siderourgos* forgeron) porte bien son nom. C'est dans les usines que les barres de métal brut sont changées en tôles ou en profilés (rails, tubes). Le métal est chauffé au four puis passé au laminoir pour en réduire la section et le transformer en un ruban continu de feuilles d'acier qui vont s'enrouler sur des bobines, ou lui donner un profil particulier. Les énormes cylindres lamineurs tournent dans le sens inverse de l'avance du métal, en l'écrasant. Le rôle du lamineur est de veiller au bon fonctionnement de la

machine, de régler l'écartement des cylindres selon les formes demandées et de vérifier la pression et la vitesse. Le tréfileur est un autre métallurgiste qualifié. Il dirige depuis le poste de contrôle de sa machine, la tréfileuse, la fabrication par étirage de fils de métal. Lamineur, tréfileur, ce sont des métiers de professionnels responsables et consciencieux, comme tous les métiers de la sidérurgie.

Fondeur △

Les fontes sont élaborées dans des hauts fourneaux, ou fours sidérurgiques, par fusion et réduction du minerai de fer. Celui-ci est mélangé à du coke métallurgique (résistant à la compression) et de la castine (pierre calcaire utilisée comme épurateur). Après dessiccation, puis décomposition des carbonates et réduction des oxydes de fer, le métal en fusion se rassemble dans le creuset. Les fontes sont des alliages de fer et de carbone, dont les pourcentages varient, et qui donnent la fonte blanche, dure et cassante (contenant de la cémentite ou carbure de fer) et la fonte grise utilisée en fonderie (composée de graphite ou carbone naturel). Et l'affinage de la fonte conduit à l'acier. Le fondeur est spécialisé dans les opérations de coulée du métal dans les moules, directement depuis le creuset. Le mouleur noyauteur est, lui, le spécialiste du moulage. Il construit le moule à partir de l'empreinte de l'objet à fabriquer. Pour obtenir un creux dans l'objet coulé, il place une pièce en matière réfractaire (le noyau) à l'intérieur du moule, et le métal en fusion est coulé entre les deux empreintes. Fondeur et mouleur exercent des métiers complémentaires.

82

Chaudronnier ▷

La chaudronnerie est l'art de travailler les métaux en feuilles laminées d'acier, d'aluminium, de cuivre, ou d'alliage (aciers spéciaux, duralumin, titane), et de les mettre en forme pour réaliser aussi bien une boîte de conserve, qu'une cuve, une voiture ou une fusée spatiale. Dans l'industrie artisanale, le travail du chaudronnier consiste à reproduire sur le métal le tracé des plans et de façonner la pièce ou l'objet prévu par emboutissage, en le martelant à froid ou en le comprimant à chaud. Le soudage, l'estampage, le rivetage font aussi partie de son métier; il connaît toutes les techniques lui permettant de plier, de percer et de cintrer les tôles. Mais comme dans beaucoup de secteurs industriels, l'informatisation et la robotisation font partie de la métallurgie, notamment pour les constructions nucléaires, aérospatiales, navales et automobiles. Le chaudronnier devient alors un technicien qui calcule ses données géométriques et ses tracés sur écran d'ordinateur et qui contrôle l'exécution du travail des machines-outils à l'aide de commandes numériques. L'informatique est de plus en plus utile à ce spécialiste du formage des métaux.

Soudeur ▷

Le soudage est une partie importante de la métallurgie. Il représente l'assemblage des pièces et donc la finition du produit, et il consiste à joindre à chaud les bords des pièces de métal. Pourtant, plus la résistance thermique des métaux est grande (tungstène), plus il est difficile de les souder de manière à former un tout continu. Les cuves des réacteurs nucléaires, les tubes des pipe-lines, les carrosseries se soudent avec des ultrasons, des lasers, des plasmas ou des faisceaux d'électrons. La soudure réalisée sous vide par bombardement d'électrons fait fondre localement les pièces à souder et permet d'éliminer les inclusions de matière, les bulles d'air et les déformations mécaniques. La séparation disparaît, la soudure est intégrée à la pièce. Les découvertes en chimie, en physique, en domestication des énergies, font du soudeur industriel un expert en manipulation des nouvelles techniques de soudage, un travail auquel contribuent les techniciens du vide, de l'électronique et de la métallurgie.

Ingénieur métallurgiste

La métallurgie, c'est l'ensemble des procédés utilisés pour extraire, traiter et former les métaux et les alliages. Avant de pouvoir être affinés, les minerais doivent subir un certain nombre de traitements afin de les débarrasser des impuretés qu'ils contiennent. Tous les métaux (sauf le mercure) sont solides et pour les transformer, il faut les faire fondre à haute température, par électrolyse ou par fusion oxydante. Une fois affiné, le métal est moulé en fonderie ou formé à chaud par forgeage, laminage ou étirage, et le produit fini subit une mise en forme à froid (emboutissage) ou un usinage (tournage, fraisage). L'ingénieur métallurgiste est un spécialiste des techniques de transformation des métaux, et en particulier des traitements thermiques (trempe) qui en modifient la structure et en augmentent la dureté. Il calcule leurs propriétés mécaniques, leur résistance aux chocs, leur ductilité (s'étirer sans se rompre), leur malléabilité. Il élabore des «cermets», mélanges de métal et de céramique qui résistent à des températures très élevées, et il réalise des métaux composites à structure fibreuse (fibres de silice, tungstène, tantale) dont l'extrême résistance est indispensable aux domaines nucléaire et aérospatial. Métallurgie vient du mot grec *metallourgein* qui veut dire exploiter une mine, et l'ingénieur métallurgiste doit tout connaître des métaux, depuis leur extraction jusqu'à leur utilisation dans les domaines les plus variés.

La chimie

Chimiste ▷

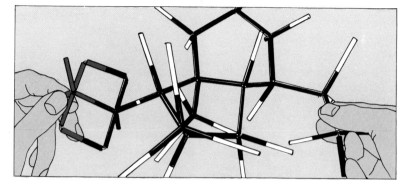

La chimie est la science qui étudie les propriétés des corps, organiques et inorganiques, ainsi que leurs transformations. Elle se divise en plusieurs branches spécifiques qui analysent quantitativement et qualitativement les constituants de la matière, qu'il s'agisse des nombreux domaines de la chimie pure, comme la géochimie, la thermochimie, la photochimie, l'électrochimie, ou de la chimie appliquée dont les travaux enrichissent continuellement l'industrie de nouveaux produits. La chimie générale traite des principes fondamentaux des corps chimiques, et la chimie analytique permet de connaître la composition des mélanges, puis des corps purs, composés ou simples, dont chaque élément est représenté par un symbole : par exemple O pour oxygène, H pour hydrogène, C pour carbone. Les formules des corps composés sont écrites en juxtaposant les symboles des éléments et leurs proportions relatives, comme CO_2 pour le gaz carbonique ou H_2O pour l'eau. Le chimiste, spécialisé dans l'une ou l'autre des disciplines de cette science, utilise les symboles pour former des équations représentant les réactions chimiques, ce qui lui permet de concrétiser la composition des substances, solides, liquides ou gazeuses, qu'il étudie. C'est une profession scientifique qui demande une formation intellectuelle poussée et de longues études, mais qui conduit celui qui s'y consacre dans le domaine passionnant de l'infiniment petit.

Biochimiste ▷

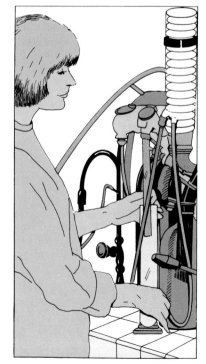

Contrairement à la chimie minérale (inorganique) qui détermine les caractères des corps métalliques et des non-métaux, avec leurs combinaisons, la chimie organique traite du carbone qui forme de très nombreux composés et qui entre dans la construction des tissus animaux et végétaux. La chimie biologique, ou biochimie, découle de la chimie organique et comprend l'étude des phénomènes chimiques de la matière vivante, de la constitution des organismes et de leurs réactions. La complexité de ces réactions fait appel à des connaissances en anatomie, médecine, physiologie. La biochimie analytique et structurale utilise les méthodes de la chimie organique pour définir la composition des organismes, des cellules. La biochimie physiologique, ou fonctionnelle, étudie le fonctionnement chimique des organes, alors que la biochimie médicale traite de leur disfonctionnement et apporte des analyses permettant un diagnostic. Quant à la biochimie cellulaire, elle s'occupe de la génétique, de l'immunologie, de l'origine de la vie. Le biochimiste dispose de techniques extrêmement évoluées pour ses recherches. Les appareils scientifiques, constamment affinés par la haute technologie, donnent une formidable impulsion à ses travaux en lui permettant de mieux comprendre la structure complexe des molécules. C'est un métier de première importance, au service de l'homme et de sa santé.

Pharmacologiste ▷

La préparation et la fabrication de médicaments est l'un des secteurs les plus importants de l'industrie chimique. La recherche pharmaceutique étudie et crée des composés doués de propriétés curatives, et son domaine, tant du point de vue de l'analyse que de la synthèse, est très vaste. Il ne suffit pas de trouver les principes actifs, il faut aussi les transformer en médica-

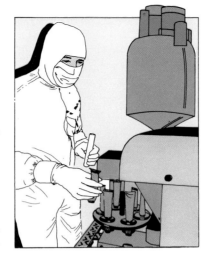

ments et obtenir les formes de présentation les mieux adaptées (pharmacie galénique : prête à l'emploi). Qu'il s'agisse de dérivés de substances naturelles ou de produits de synthèse, les problèmes rencontrés au cours de leur étude chimiopharmaceutique sont extrêmement complexes ; leur tolérance et leurs effets secondaires doivent être soigneusement évalués. Tout à la fois pharmacien, biologiste et chimiste, le pharmacologiste a pour but de rechercher de nouveaux moyens de lutte contre la maladie.

Ingénieur chimiste

Les industries chimiques sont nombreuses et très variées. Elles concrétisent les découvertes des chimistes en réalisant les produits de synthèse selon les formules qu'ils ont élaborées. Contrairement aux produits artificiels obtenus à partir de substances naturelles, les produits de synthèse sont obtenus à partir de composés chimiques. Les résines synthétiques (thermoplastiques et thermodurcissables) tirées des dérivés du pétrole (pétrochimie) et du charbon (carbochimie), se retrouvent dans tous les secteurs de fabrication et concernent aussi bien la recherche scientifique que la vie de tous les jours. Ces produits de synthèse sont indispensables à l'industrie aérospatiale comme à la métallurgie, l'automobile, le bâtiment, l'électricité, le textile, la chimie pharmaceutique (pharmacologie) ou alimentaire (agrochimie). Les goudrons, les paraffines, les plastiques, ainsi que les cosmétiques, les détergents ou les colles sont des produits de synthèse, et tous les jours il s'en invente de nouveaux, plus performants, mieux adaptés. Or, entre l'invention et la commercialisation, il y a la mise au point en laboratoire. C'est la mission de l'ingénieur chimiste. Il dirige les recherches des nouveaux produits, leur traitement chimique, leur technique de fabrication. Il conçoit, calcule, analyse, et entreprend la réalisation. Quel que soit son domaine, scientifique, technologique ou industriel, il met ses vastes connaissances en chimie au service du progrès.

Technicien chimiste ▷

Le technicien chimiste est le spécialiste de la production des produits nouveaux, artificiels ou de synthèse. Il connaît les méthodes de transformation et les traitements chimiques, les mélanges qu'il faut doser avec précision, la chaleur ou la pression qu'il faut respecter, la résistance ou l'élasticité qu'il faut obtenir. Il sait contrôler le fonctionnement des machines automatiques et programmer les mises en fabrication. Ses secteurs d'activité sont aussi nombreux que le sont les domaines de la chimie : matières plas-

tiques, caoutchouc, papier, textiles. Suivant ses goûts et ses connaissances en chimie, en mathématique et en mécanique, il se spécialise dans les procédés de préparation et de mécanisation des résines synthétiques, des colorants, des gommes ou des pâtes de bois. L'industrie a besoin de techniciens chimistes, surtout s'ils ont un esprit entreprenant et inventif en plus de leur savoir technique.

L'agro-alimentaire

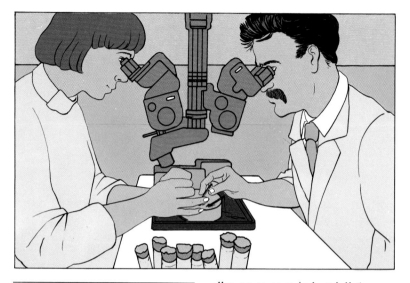

Biotechnologiste △

Les premières biotechnologies ont été les fermentations (bactéries, levures, champignons) utilisées par l'homme depuis les temps les plus reculés pour faire le pain, le vin, le fromage. Longtemps artisanales, elles ne se sont industrialisées que lentement. Puis vinrent les biotechnologies de deuxième génération avec les antibiotiques, les vaccins, les hormones. Maintenant on exploite la cellule vivante. La cellule est la plus petite unité du monde vivant. C'est aussi une usine chimique en miniature qui dispose d'un programme, dans son noyau, comme une bibliothèque dans laquelle elle puise au fur et à mesure de ses besoins : ce sont les gènes. Avec la génétique, qui est à l'origine des biotechnologies modernes, on sait reprogrammer les cellules pour leur faire accomplir des synthèses chimiques qu'elles ne font pas naturellement. La biotechnologie est une science multidisciplinaire qui fait aussi appel à la microbiologie, l'enzymologie, la biochimie, la chimie organique, la biologie moléculaire. Et le biotechnologiste travaille dans les nombreux domaines où sont utilisés les micro-organismes (animal ou végétal) et les enzymes (protéines cellulaires) : l'agronomie, la chimie pharmaceutique, l'agro-alimentaire, les nouvelles énergies. Il est à la fois un biologiste et un ingénieur qui recherche et provoque en laboratoire de nouvelles bioconversions, c'est-à-dire des transformations résultant de l'action de micro-organismes.

Technicien des industries agro-alimentaires

Les biotechnologies traduisent les applications de la biologie, notamment dans le domaine alimentaire. En agronomie, l'hybridation des semences concourt au développement de nouvelles espèces, plus résistantes, de légumes et de céréales : il est possible, par exemple, de conférer à un légume des propriétés vitaminées qu'il n'avait pas ou de lui permettre de fixer l'azote de l'air pour diminuer l'apport d'engrais chimiques. Ceux-ci, dérivant le plus souvent de la pétrochimie, sont chers et polluants. Et la reprogrammation génétique des semences constitue un progrès inestimable tant pour la santé que pour l'environnement. La reproduction sélective des bovins et de certaines espèces de poissons est très importante, comme l'est la purification des eaux par voie microbiologique. Mais il est un autre secteur, vital pour l'homme, dans lequel intervient la biotechnologie, c'est la fabrication de protéines. Pour survivre, il faut un minimum de protéines, or les besoins mondiaux sont de plusieurs millions de tonnes par an. Grâce à la recherche, elles sont obtenues par fermentation continue d'organismes unicellulaires. La fermentation est une réaction chimique dont les micro-organismes, catalyseurs vivants, sont hautement spécifiques. Leur culture se fait à partir de matières premières comme les mélasses, le lactosérum (petit-lait), l'amidon, la cellulose. Les industries agro-alimentaires emploient de nombreux techniciens pour procéder aux analyses et contrôler les cultures. Les conserveries, distilleries, sucreries, amidonneries ont aussi besoin de techniciens spécialisés intéressés par les progrès de la biotechnologie.

Goûteur ▷

Parmi les nombreux métiers de l'agro-alimentaire, il en est un qui demande des aptitudes particulières, celui de goûteur. D'un bout à l'autre de la longue liste des produits alimentaires préparés et accommodés pour la consommation, chacun est testé, dégusté, amélioré pour plaire à la clientèle. Ils doivent répondre au goût demandé, contenir une pointe d'originalité afin de devancer la concurrence, changer de saveur selon les régions, les pays ou la mode. Qu'ils soient en boîte, en sachet ou en bouteille, thé, café, chocolat, conserves, plats cuisinés, boissons exigent une élaboration minutieuse. Ce sont d'abord les diététiciens, puis les aromaticiens qui mettent au point l'aliment. Le goûteur déguste, compare les différentes préparations et désigne celle qui aura la faveur du public. C'est alors seulement que le produit sera fabriqué à la chaîne pour être vendu à des millions d'exemplaires. Un bac technique en sciences biologiques peut amener à ce métier, qui demande aussi un goût très sûr, un jugement objectif et une stricte observance des règles d'hygiène. Une longue expérience est indispensable pour devenir expert dégustateur.

Brasseur

La brasserie est le lieu où l'on fabrique la bière, nommée ainsi à cause du brassage des mélanges qui la constituent, et le mot bière, qui vient du néerlandais *bier,* veut dire boisson. Cette boisson alcoolisée est produite par la fermentation du malt dans de l'eau. Le maltage est une opération qui consiste à tremper des graines d'orge pour y développer une enzyme qui transforme l'amidon en maltose (sucre), après humidification, dessiccation et dégermage. La bière blonde est parfumée par des fleurs de houblon, la bière brune par du caramel. Mais blonde ou brune, chacune a sa saveur propre. Maltage, brassage, puis fermentation du moût, qui sera refroidi et filtré avant d'être mis en cuves de stockage, nécessitent un certain nombre de traitements précis, comme le trempage dans les germoirs, le touraillage (séchage) ou la cuisson de la «maische» (malt et eau). La température, aux divers stades de la fabrication, est très importante. L'industrie de la bière est prospère dans plusieurs pays, ceux d'Europe du Nord notamment. Et le brasseur, qui est un gestionnaire et un technicien averti, est très attentif à la procédure de fabrication comme à la commercialisation du produit.

Chocolatier ▷

L'industrie chocolatière se porte bien, elle aussi, le chocolat étant un produit apprécié de tous. Ses variétés comme ses goûts sont innombrables. Le mot chocolat vient de l'aztèque *cacauatl* (XVIe siècle) : le cacaoyer dont les fruits, ou cabosses, contiennent les fèves de cacao est, en effet, originaire du Mexique. Ce petit arbre est aujourd'hui cultivé en Amérique du Sud et en Afrique dans de vastes plantations, les cacaoyères. Les cacaos (graines) sont récoltés puis torréfiés et broyés pour donner d'une part la poudre qui sert à fabriquer le chocolat et d'autre part une substance grasse, le beurre de cacao. Le goût particulier de chaque chocolat dépend de plusieurs facteurs : provenance du lait, du sucre et surtout malaxage et affinage de la pâte. Le chocolatier, spécialiste des techniques de fabrication, le commercialise sous différentes formes suivant des formules qu'il garde secrètes.

L'informatique

Concepteur ▷

L'informatique est une science qui se renouvelle et s'affine continuellement en liaison avec le développement rapide des ordinateurs, et ses champs d'application s'étendent et se diversifient de telle sorte qu'elle est devenue indispensable dans tous les domaines professionnels. Et si les métiers qui en découlent offrent de nombreux débouchés, ils ne s'improvisent pas. Ils exigent au contraire une formation sérieuse et des aptitudes de base qui mènent à des diplômes scolaires et universitaires tout en préparant à l'évolution des techniques de traitement automatique de l'information. Plus le niveau d'études est élevé (diplôme d'ingénieur, doctorat en informatique, hautes mathématiques), plus les possibilités d'emploi sont nombreuses et passionnantes les recherches, les analyses et les réalisations de projets. Le concepteur, ou ingénieur de

logiciel de base, est un spécialiste des ordinateurs (matériel ou « hardware ») et des systèmes et traitements (logiciel ou « software »). Attaché à la recherche, il détermine les besoins de l'entreprise, compte tenu de la meilleure exploitation des matériels et du choix des programmes et des systèmes les mieux adaptés. Son rôle est surtout déterminant chez les constructeurs.

Cogniticien

Contrairement aux programmes informatiques classiques, les systèmes experts sont capables, dans un domaine précis, d'appliquer les règles d'un savoir enregistré et de les combiner pour produire des réponses cohérentes à des problèmes donnés. Mais pour que la machine devienne « intelligente », il est indispensable de lui fournir les connaissances de l'homme, et plus précisément du meilleur spé-

cialiste du sujet à intégrer, dans quelque domaine que ce soit. Ces données sont recueillies par un ingénieur de la connaissance, ou cogniticien. Expert en systèmes experts, il doit posséder, outre ses compétences en informatique et en psychologie, une grande patience et une faculté innée d'adaptation à n'importe quelle matière afin de pouvoir dialoguer avec l'homme de science. Ces qualités sont primordiales, car il n'est pas facile de synthétiser un savoir qui s'appuie sur l'expérience et l'intuition et d'amener le savant à reconstruire

les raisonnements qui l'ont conduit à un concept, un diagnostic, et d'en énoncer les règles. Le cogniticien réalise un transfert d'expertise, c'est-à-dire qu'il transpose en ordinogramme (processus de traitement des informations) les connaissances d'un expert. Un travail difficile qui exige l'identification de chaque mot, de chaque structure logique et leur traduction en symboles accessibles à la machine. Cogniticien est un métier très recherché par les constructeurs (automobile, aéronautique, aérospatiale, robotique).

Gestionnaire de données

Toutes les entreprises utilisatrices de matériels informatiques ont besoin d'informaticiens. Ces spécialistes en technologie et en systèmes d'information doivent sans cesse remettre leurs connaissances en question et adapter leurs aptitudes à de nouvelles fonctions. Des stages chez les constructeurs, dans les universités et les sociétés de service assurent une formation permanente à tous ces métiers en continuelle évolution. Un informaticien n'est pas seulement un utilisa-

teur de produits automatisés, c'est un praticien de l'informatique, un technicien de conception qui participe à la mise au point d'un système informatique. L'un d'eux est le gestionnaire de données. Informaticien compétent et documentaliste du service informatique, il gère l'ensemble des données informatiques d'une entreprise. Son rôle est souvent celui d'un conseiller auprès des services utilisateurs et sa responsabilité s'étend à toute l'implantation informatique et télématique de l'entreprise. La télématique, ordinateurs plus télécommunications (téléphone, télex, télévision, télégraphe, satellites), permet de transmettre et de distribuer une grande quantité d'informations et de données indispensables à la bonne marche de tous les secteurs, qu'ils soient publics ou privés.

Chef de projet

Un ordinateur est une machine capable de traiter des informations à partir des instructions qui lui sont fournies par un programme (logiciel). Les opérations arithmétique et logiques sont effectuées dans un ensemble d'organes reliés entre eux et appelés « unités » (unité d'entrée — clavier, unité de sortie — imprimante). L'unité centrale reçoit les informations et exécute les instructions du programme. Les gros ordinateurs d'entreprises, installés en salles climatisées, comme les micro-ordinateurs individuels sont branchés sur les terminaux d'un ordinateur central et accessible à ses banques de données. Mais si les petites entreprises peuvent se procurer des progiciels, programmes répondant à des besoins bien définis, comme la comptabilité, la gestion, les grandes entreprises nécessitent des pro-grammeurs de haut niveau. Analyses et programmations sont effectuées soit par des sociétés de service et de conseil en informatique, soit par le service informatique de l'entreprise. Le chef de projet est un spécialiste de conception et de développement de système. Responsable d'un projet, il encadre les équipes d'analystes et de programmeurs. Les grandes entreprises sont toutes à la recherche de « génies » qui leur permettront d'accroître leur productivité.

Pupitreur   ▷

Quel que soit le secteur d'activité d'une entreprise, les services de saisie de l'information sont à la base du bon fonctionnement de sa gestion. La saisie des données, ce sont les procédures d'enregistrement de celles-ci sur des supports (cassettes, disquettes, bandes magnétiques) en vue de leur traitement par un système informatique. Le pupitreur fait partie de ce système, mais sa fonction le met aussi en rapport avec les services d'études pour lesquels il place les éléments élaborés par les programmeurs et effec-

tue les premiers tests des nouveaux projets. Il se charge en outre de la commande des ordinateurs et assure la maintenance et l'exploitation des installations. Le travail continu sur écran est fatigant et les heures passées devant le pupitre, tableau qui regroupe les organes de commande et de contrôle, demandent une attention soutenue.

La robotique

Roboticien ▷

Un robot est une machine dotée d'une mémoire et d'un programme, capable de se mouvoir et d'agir seule, apte à remplacer l'homme dans un certain nombre de travaux, minutieux ou pénibles, et dont le nom, du tchèque « robota », veut dire travail forcé. Cette nouvelle technologie a déjà bouleversé une partie de l'industrie où les chaînes de montage sont équipées d'automates, des « ouvriers artificiels » qui exécutent des tâches répétitives sans se fatiguer, entraînant des incidences sociales et économiques irréversibles. L'influence de la robotique ne cesse d'augmenter dans de nombreux domaines, et les bras articulés ou les pinces préhensiles des robots y accomplissent des merveilles : manipulations dangereuses (métal en fusion, produits radioac-

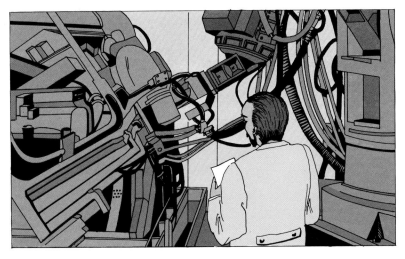

tifs), prothèses destinées aux handicapés, exploration spatiale et sous-marine. C'est avec l'arrivée de l'ordinateur que les machines, actionnées par des engrenages électriques ou hydrauliques, se sont transformées en robots. La miniaturisation des systèmes, les libérant des ordinateurs centraux, puis les microprocesseurs, avec leurs « puces » de silicium, les ont rendus

de plus en plus performants. Les recherches des roboticiens tendent à reproduire le comportement et l'intelligence de l'homme, sans plus recourir à la préprogrammation, et à construire des machines pouvant traiter l'information comme le fait le cerveau humain. Leur but est d'égaler les perceptions sensorielles et les activités musculaires de l'homme.

Cybernéticien

La cybernétique étudie les mécanismes de communication et de contrôle chez les êtres vivants, établissant des comparaisons entre l'homme et la machine en ce qui concerne les modes de traitement de l'information. Ses recherches s'appuient sur les mathématiques, la physique et la biologie, pour essayer de mieux comprendre comment le cerveau communique avec les « mécanismes » qu'il commande, c'est-à-dire le corps. Les messages sont transmis par le

système nerveux, mais son mode de marche, le « câblage » du cerveau, reste mystérieux. Les instructions émanant du cerveau circulent le long d'une « boucle » : elles sont transmises aux muscles par le truchement des nerfs, qui retournent ensuite les impressions au cerveau, selon un effet de rétroaction ou « feedback ». Le dosage du feedback est très important lorsqu'il s'agit d'une machine comportant son propre système de régulation et ne possédant pas la souplesse et le bon sens de l'homme. L'analyse du langage est particulièrement complexe, et si l'esprit humain peut formuler des hypothèses qui se

situent au-delà du contenu de la communication, en robotique, il est primordial de concevoir des modèles de « boucles » précis et stables. Car contrairement à l'homme, le robot doit sa coordination à un processus aveugle : les capteurs qui surveillent ses capacités sensorielles et renvoient les informations au système de commande. Parallèlement, les techniques de régulation pouvant être appliquées à l'homme, le cybernéticien y découvre de nouvelles approches philosophiques et psychologiques, et, par extension, d'autres possibilités pour les robots d'acquérir un jour des capacités « cérébrales ».

Ingénieur
en reconnaissance
des formes ▷

La reconnaissance des formes consiste à analyser automatiquement les indices perçus au moyen de capteurs, qui représentent la vue, l'ouïe et le toucher du robot. Ses facultés sensorielles dépassent souvent celles de l'homme, puisqu'il est doté de caméras sensibles aux ultraviolets, à l'infrarouge ou aux rayons X, de micros réagissant aux infrasons ou aux ultrasons, de lasers, ou de palpeurs ultrasoniques. Et les télémanipulateurs, bras articulés munis d'outils terminaux, adaptés à son «poignet», ou de tiges téléscopiques, ont perfectionné l'usage de la main humaine, une peau synthétique lui permettant d'effectuer des travaux plus minutieux et plus variés que le simple déplacement d'objets. Mais identifier les formes grâce à un dictionnaire n'est pas suffisant, il faut fabriquer des schémas de réflexion qui les rendent reconnaissables. Il est difficile de donner à la machine l'acquis dont s'enrichit le cerveau humain, sans lui apprendre... à apprendre, par exemple : comment reconnaître des objets posés en tas, une image déformée ou un mot à double sens? La reconnaissance des formes est largement utilisée dans de nombreux secteurs scientifiques, médicaux et industriels, et pour toutes les interventions en milieu hostile, nucléaire, spatial et sous-marin. Pourtant, elle se heurte encore à un grand nombre de difficultés que les équipes de chercheurs doivent surmonter.

Ingénieur en
intelligence artificielle △

Le raisonnement, l'expérience, l'intuition sont autant d'obstacles auxquels se heurte le développement de l'intelligence artificielle. Dans le cerveau humain, l'exécution des problèmes s'effectue «en parallèle», un grand nombre de neurones traitant simultanément les données captées par l'œil, l'oreille ou le toucher. En revanche, les circuits électroniques, pourtant 100 000 fois plus rapides que les neurones, travaillent «en séquentiel», se contentant de traiter l'une après l'autre chaque instruction d'un même programme. Les technologistes espèrent donc dépasser certaines difficultés en concevant des ordinateurs «parallèles» (pouvant réunir jusqu'à un million de processeurs), capables de s'adapter au traitement des connaissances. Avec les systèmes experts, qui peuvent résoudre des problèmes en imitant les raisonnements logiques des scientifiques, l'informatique est déjà passée à un stade plus élaboré. Il s'agit maintenant pour les ingénieurs de passer les écueils du langage naturel, compte tenu des implications linguistiques, psychologiques et philosophiques qui en découlent, et de son apprentissage. De longues recherches seront encore nécessaires, mais déjà des réussites permettent de grands espoirs, comme l'Androbot, petit robot de compagnie qui possède une intelligence artificielle, une voix synthétique et des bras articulés. Premier androïde ou robot à forme humaine, il est né à Sunnyvale, Californie, en 1983.

L'énergie nucléaire

Physicien ▷

La physique est la science fondamentale qui préside à toutes les recherches entreprises par l'homme pour comprendre les phénomènes naturels et qui lui permet, à travers ses innombrables découvertes, de poursuivre sa progression dans les différents domaines scientifiques et technologiques. Cette science a pour objet la détermination ou la vérification des lois qui régissent la matière, l'énergie et leurs interactions réciproques. Elle se divise en plusieurs branches traitant de spécialités distinctes, telles que la mécanique (classique, relativiste et quantique), la métrologie (mesure des grandeurs), la thermo-

dynamique (échanges d'énergie), l'étude de l'électricité, de l'électronique, du magnétisme, des vibrations et des rayonnements, la physique de la structure de la matière

(solide, liquide, gaz, plasma), la chimie physique et la physique mathématique, ainsi que les grands thèmes qui sont l'assise de nos connaissances : la physique du globe ou géophysique, la physique de l'Univers ou astrophysique et la physique atomique ou nucléaire qui étudie la structure de l'atome et de son noyau, les propriétés des particules élémentaires et des forces qui s'exercent entre elles. La physique tend à faire découler les lois physiques des lois d'interaction à l'échelle des particules, rendant intelligible l'infiniment grand par l'infiniment petit. Les recherches en laboratoire permettent au physicien de définir et de modifier les paramètres des lois naturelles qui dirigent notre planète, et par-delà la Terre, l'Univers tout entier.

Atomiste △

Un atome est un constituant élémentaire de la matière, formé d'un noyau. Celui-ci se compose de neutrons (particules sans charge) et de protons (de charge positive). Des électrons négatifs, en nombre égal à celui des protons, gravitent autour du noyau, et le numéro atomique de chaque élément chimique dépend du nombre de protons et d'électrons satellites qui le caractérise. Les noyaux des atomes de certains corps peuvent se désintégrer en libérant une énorme énergie :

piles et bombes atomiques (ou de fission) armes thermonucléaires (ou de fusion), et la radioactivité dégagée par la réaction nucléaire qui s'ensuit provient des émissions de particules ou du rayonnement électromagnétique (photons). L'énergie nucléaire due à la fission, est utilisée pour produire de l'électricité ou de la chaleur (centrales nucléaires, propulsion de navires et de sous-marins, alimentation en électricité des satellites). L'énergie nucléaire de fusion, ou énergie thermonucléaire, est celle qui se trouve dans les étoiles. Et si l'étude des phénomènes atomiques est déjà riche en résultats théoriques et en applications pratiques, les recherches entreprises par les savants atomistes pour contrôler la fusion, permettront peut-être un jour à l'homme de disposer d'une énergie inépuisable.

Ingénieur en génie atomique

Le principe de fonctionnement d'une centrale nucléaire ressemble à celui d'une centrale thermique classique, mais la chaudière y est remplacée par un réacteur nucléaire, la chaleur qu'il émet étant produite par fission d'éléments lourds, tels que l'uranium 235 ou le plutonium 239. L'énergie libérée par la réaction nucléaire est évacuée hors du « cœur » du réacteur au moyen d'un fluide colporteur ou « réfrigérant » (gaz carbonique, eau ordinaire, eau lourde ou sodium liquide suivant le réacteur), pour être ensuite transformée en énergie mécanique, puis électrique. Il existe trois types de centrales nucléaires : celles dites à filière uranium naturel - graphite - gaz (qui furent les premières), celles à filière uranium enrichi - eau ordinaire (de construction actuelle) et les surrégénérateurs (Phénix), utilisant la filière à neutrons rapides. Mais quelle que soit la puissance du réacteur atomique, des mesures de contrôle systématiques sont prises pour prévenir toute contamination du milieu.

A la fois physicien, chimiste et électronicien, l'ingénieur en génie atomique, responsable de l'exploitation d'une centrale, doit faire respecter une discipline stricte de sécurité. Les produits manipulés émettent des rejets radioactifs invisibles mais très dangereux, que seuls des appareils sensibles, comme le compteur Geiger, peuvent déceler, et en cas de dispersion dans l'atmosphère, les retombées du « nuage » radioactif peuvent être pernicieuses. Le génie atomique représente l'ensemble des connaissances et des techniques concernant la conception et les applications de procédés et de machines propres au nucléaire que l'ingénieur met en œuvre dans une centrale.

Spécialiste des techniques de protection

La maîtrise de l'atome reste, malgré la controverse, une des grandes découvertes de l'homme. Mais elle est dangereuse et nécessite la mise en action de techniques de contrôle sévères, afin de mesurer et de limiter la production d'effluents gazeux et liquides rejetés par les centrales nucléaires dans l'air et dans l'eau et de stocker efficacement les déchets solides radioactifs. Les causes de ces rejets, leur nature et l'activité qu'ils contiennent, sont connues de façon précise, et des limites ont été définies pour l'irradiation professionnelle et celle des populations. Le respect de ces normes est très strictement observé par les techniciens spécialisés dans la surveillance des « barrières » (instruments de mesure, verrous de sécurité, étanchéité de la cuve contenant le réacteur) interposées entre la source de radiations et les sujets exposés, garantes de la protection des êtres vivants et de leur milieu.

Conducteur de pile nucléaire △

La conduite d'une pile atomique, ou réacteur nucléaire, est complexe et requiert toute l'attention des techniciens qui se relaient jour et nuit dans la salle de contrôle. Elle comprend le cœur du réacteur, composé du combustible fissile, du modérateur (substance qui diminue la vitesse des neutrons et entretient la réaction en chaîne) et du fluide colporteur, et le dispositif de réglage et de sécurité, le tout étant installé dans la cuve étanche. Le rôle du conducteur de pile est de surveiller les multiples cadrans pour suivre et régulariser la réaction atomique, la puissance du rayonnement et la température de la centrale thermique, et de vérifier les circuits de refroidissement et l'imperméabilité du blindage. Cette haute responsabilité est confiée à des techniciens qualifiés et spécialement entraînés, qui sont en alerte constante et prêts à stopper la réaction au moindre danger d'échauffement ou de contamination.

Les énergies nouvelles

Géothermicien

La géothermie est l'étude de la chaleur de l'écorce terrestre et de son utilisation comme source d'énergie. La température du sol, qui augmente régulièrement avec la profondeur (le degré ou gradient géothermique est de 1 °C par 30 m), est liée à un flux d'énergie interne provenant de la radioactivité de certains corps simples, de la chaleur issue de la formation de la Terre et des modifications de sa structure. Ce transfert de chaleur s'effectue soit par conduction (sans déplacement de matière), soit par convection (matière en mouvement, eau ou lave, et dont les sources thermales sont une manifestation). Des mesures ont permis d'esquisser une cartographie de cette énergie, mettant en évidence des zones à fort flux, comme le Massif central (200° à − 5 000 m), c'est-à-dire des gisements accessibles avec les techniques de forage actuelles et constituant des réserves d'énergie considérables. La méthode d'extraction consiste à faire circuler un fluide colporteur entre deux ou plusieurs puits connectés en profondeur pour assurer un échange thermique. L'eau, qui est injectée à froid et ressort sous forme de vapeur à 180°, est utilisée par une centrale thermique pour produire de l'électricité, puis, refroidie, à nouveau réinjectée dans le forage. A l'égal des sources d'eau chaude captées pour le chauffage urbain dans certains pays, il serait possible d'exploiter des puits géothermiques à grande échelle dans le monde. Mais ce mode de production d'énergie en est encore à un stade pilote et pose des problèmes économiques auxquels se heurtent les géothermiciens.

Ingénieur en énergie solaire

L'une des technologies d'utilisation de l'énergie solaire est la conversion thermodynamique de la chaleur du soleil pour mouvoir des machines à vapeur et produire du courant par des alternateurs classiques. Le principe consiste à focaliser la lumière avec des miroirs orientables, ou héliostats, qui suivent la course du soleil et réfléchissent les rayons pour les concentrer sur un récepteur où se trouve du sel fondu, chauffé à haute température. A l'autre bout de la chaîne, une turbine fournit de l'énergie électrique à partir de la chaleur extraite du sel (450 °C). Des consoles de visualisation interactives (ordinateur - écrans de télévision) permettent aux ingénieurs de « conduire » la centrale solaire et de développer de nouveaux programmes d'essais.

Ingénieur en photovoltaïsme ◁

La seconde technologie d'utilisation de l'énergie solaire est la conversion photovoltaïque qui transforme directement la lumière du soleil en électricité, grâce aux photopiles ou cellules solaires. Employés dans un premier temps pour fournir de l'électricité à bord des satellites, les applications de ces générateurs de courant continu se sont peu à peu multipliées et industrialisées. Le silicium monocristallin qui constitue les photopiles, identique à celui des circuits intégrés, est obtenu à partir de sable quartzeux chauffé au four. L'affinage chimique transforme le métal en un composé gazeux qui, après distillation et recristallisation, atteint la pureté électronique. Les piles solaires représentent un espoir de développement pour le Tiers-Monde notamment, pour l'apport d'électricité et d'eau.

Ingénieur en énergies de substitution ▷

Les énergies non polluantes font l'objet de recherches et d'études dans plusieurs pays. La force du vent, celle des vagues, ou des marées sont, tout comme la chaleur du soleil, des sources d'énergie gratuite qu'il suffit d'utiliser. C'est notamment le cas des turbovoiles pour la navigation en mer, en recourant de manière plus performante à la propulsion éolienne, et de l'exploitation de la force motrice des vagues pour produire de l'électricité dans les pays pauvres en rivières. On peut également obtenir directement du courant électrique, à partir de la lumière solaire, en utilisant des cellules photovoltaïques, on les appelle plus généralement des cellules solaires ou photopiles. Elles rendent de précieux services là où l'électricité traditionnelle ne peut être acheminée. Seulement, la mise en place de ces nouvelles technologies nécessite un investissement à la fois intellectuel et financier, et leur rentabilité ne peut être démontrée qu'après de nombreux essais, auxquels s'attachent chercheurs et ingénieurs.

Ingénieur en chauffe industrielle

Le charbon est toujours une ressource énergétique importante de la croûte terrestre. Les nouvelles filières de combustion et les projets de conversion font aussi partie des recherches en énergies de demain et mobilisent des centaines d'ingénieurs et de techniciens qui travaillent sur plusieurs méthodes possibles. La pulvérisation (broyage et dépoussiérage) de certains types de charbon, permet la mise au point de suspensions stables qui peuvent servir à alimenter des chaudières à lit fluidisé. La gazéification en surface donne un gaz de synthèse utilisable dans un grand nombre d'applications, et la pyrolyse, ensemble d'opérations dans lesquelles le charbon est porté à haute température, produit des gaz et des résidus exploitables. Mais les forages traditionnels étant peu rentables, la gazéification en profondeur (1 000 m) offre des solutions économiques : deux trous sont forés à une certaine distance l'un de l'autre, l'un pour injecter l'agent de gazéification (gaz ou eau), l'autre pour récupérer le gaz en provenance des couches charbonnières. Toutes ces nouvelles énergies représentent des pôles d'activité majeurs pour les ingénieurs.

Ingénieur en bioconversion

Le biogaz résulte d'un processus de digestion anaérobie (sans air) des matières organiques par certaines bactéries. Il est produit soit dans les réacteurs naturels que constituent les décharges contrôlées d'ordures ménagères, soit dans des digesteurs installés en surface pour traiter les fumiers et lisiers des fermes individuelles ou les déchets des industries agroalimentaires. Sa teneur en méthane est élevée et il représente une réponse aux besoins énergétiques des zones décentralisées et des pays en voie de développement. La fermentation méthanique, ou bioconversion, participe en outre à la dépollution de l'environnement et à l'épuration des boues résiduaires urbaines. Peu différent des autres combustibles gazeux utilisés pour produire de l'énergie thermique ou mécanique, il requiert cependant des équipements et des réglages spécifiques faisant l'objet d'études approfondies et d'expérimentations dans des centres d'essai.

La recherche 1

Chercheur ◁

La recherche est un vaste domaine qui fait partie de tous les secteurs où le génie de l'homme se manifeste, scientifiques, technologiques, industriels, commerciaux, humanitaires. Elle est à l'origine de toutes les découvertes qui contribuent à l'évolution et à la compréhension des choses de la Terre et de l'espace, depuis l'invention de la roue jusqu'aux techniques les plus sophistiquées. On lui doit les progrès de la médecine comme ceux des machines. Il existe de nombreux centres de recherche, nationaux et privés, ainsi que des inventeurs isolés, dont les travaux concourent au bien-être quotidien ou à l'ouverture de nouvelles voies en concrétisant une formule chimique ou mathématique. Les chercheurs, qu'ils travaillent en équipe dans des laboratoires ou des bureaux d'études, ou comme inventeurs dans un atelier, ont tous en commun la passion de la découverte, quelle que soit leur spécialité. C'est le cas aussi des explorateurs qui partent dans des régions mal connues, telles les terres polaires qui ont encore beaucoup de secrets à livrer, ou certaines jungles, ou le fond des mers avec leur faune et leur flore. Etre chercheur : c'est découvrir les mécanismes profonds d'une matière, étudiée jusqu'à en connaître les moindres aspects connus, et l'envie de chercher au-delà.

Archéologue ▷

L'archéologie est la science qui étudie les vestiges des civilisations anciennes. Par la mise au jour des sites et l'analyse des traces matérielles laissées par l'activité humaine, des temps préhistoriques jusqu'au Moyen Age, il est possible d'étudier non seulement le mode de vie de ces ancêtres lointains mais aussi leur environnement et les processus culturels de leur évolution. L'archéologue reconstitue l'histoire d'une période ou d'un groupement humain à partir des découvertes qui sont faites sur le terrain et répertoriées très minutieusement. Dès la localisation du site, il organise les recherches de manière systématique en quadrillant le champ des fouilles et en notant, aidé par son équipe de spé-

cialistes, les détails de chacune des pièces trouvées. Les restes sont identifiés et datés au moyen d'analyses chimiques et des méthodes du carbone 14 (isotope radioactif) et de la spectrographie (décomposition de la lumière sur une plaque photographique). De nombreux endroits contenant des vestiges archéologiques sont détectés grâce aux photographies aériennes, alors qu'au niveau du sol il est impossible de les deviner. Le travail de l'archéologue est fait de patience mais aussi de moments exaltants lors de découvertes précieuses.

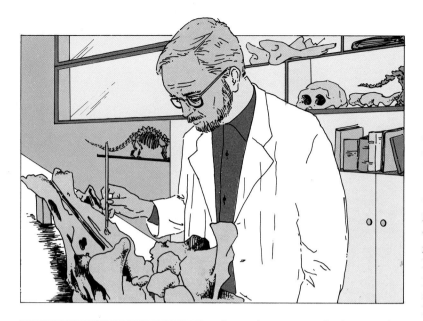

Paléontologiste △

La paléontologie est la science qui permet d'identifier les espèces, animales et végétales, ayant vécu au cours des diverses périodes géologiques. Elle reconstitue l'histoire des êtres vivants à partir des premiers micro-organismes présents dans la mer. Avec les méthodes de datation, de microscopie et de radiographie aux rayons X, il est possible de situer l'âge des fossiles (coquillages, squelettes et empreintes d'animaux, de plantes, et ossements humains) et de les replacer dans la longue évolution qui a mené jusqu'à l'apparition de l'homme, en démontrant le passage progressif d'une espèce à une autre. La micropaléontologie étudie les algues microscopiques généralement associées aux gisements de pétrole, et la paléobotanique décrit la provenance des plantes en se basant notamment sur les fougères du Carbonifère. Pour le paléontologiste, les patientes recherches qu'il effectue sont en continuelle progression. La découverte de fossiles humains de plus en plus vieux prouve que l'homme est très ancien : ainsi les ossements humains ou pré-humains de «Lucie», découverte dans l'Afar éthiopien, remontent à 4 millions d'années. Mais bien d'autres découvertes restent à faire pour reconstituer toutes les étapes de l'évolution qui a conduit de «Lucy» à l'*Homo sapiens.*

Volcanologue ▷

L'étude des volcans est une science qui prend en compte non seulement les manifestations volcaniques mais tout le système tectonique de la Terre. Les volcans sont répartis le long des zones de contact entre les différentes plaques mouvantes qui constituent l'écorce terrestre. Aux points de choc se produisent des fissures (cheminées) au travers desquelles est éjecté le magma (roche en fusion et gaz). Celui-ci se solidifie à l'air et s'entasse pour engendrer des reliefs coniques en laissant au centre une dépression, le cratère, ou caldera. On classe les volcans suivant la nature des produits qu'ils rejettent : coulées de lave, explosions avec jets de lapilli (pierres) et de bombes, projections de cendres accompagnées de gaz en combustion (nuées ardentes). Les volcans s'annoncent par des grondements,

des tremblements de terre, parfois ils réagissent d'un seul coup. Dans tous les cas ils restent dangereux même s'ils sont endormis depuis longtemps, car leur réveil peut être très brutal. Les progrès de la recherche fondamentale sont importants et permettent de mieux comprendre la formation des gaz qui génèrent les éruptions et comment le magma se fraie un passage vers la sortie en fracturant les roches. Le travail des volcanologues consiste à étudier les volcans, à prévoir leurs réactions et à donner l'alerte en cas de danger. Le malheur veut qu'ils ne soient pas toujours écoutés, ce qui a coûté la vie à 25 000 personnes à Armero en Colombie lorsque le Nevado del Ruiz a déversé un flot de boue sur la ville en 1985.

La recherche 2

Astronome ▷

L'étude du ciel est l'une des plus anciennes sciences de notre planète, car elle passionnait déjà les hommes de la préhistoire. Et si la Terre a longtemps été considérée comme le centre de l'Univers, elle a repris sa vraie place dans le système solaire, puis dans le cosmos à partir du XVIIᵉ siècle. Mais c'est avec les grands télescopes, les radiotélescopes (enregistrement du rayonnement électromagnétique émis par les astres), la photographie et l'analyse spectrale (décomposition de la lumière des étoiles) que l'astronomie a pu calculer la rotation des planètes et la vitesse de la lumière, et découvrir les milliards de corps célestes de notre galaxie, la Voie lactée, puis de la galaxie d'Andromède, la plus proche, et des milliers d'autres, à des millions et dizaines de millions d'années-lumière... L'astronomie recense les astres et les classe suivant leurs particularités et leur magnitude (éclat) : étoiles doubles, novæ, radiosources, nébuleuses, amas stellaires, pulsars, quasars. Elle les étudie et les décrit selon leurs positions successives, et interprète les résultats obtenus en procédant à la mesure du temps. Maintenant, les interféromètres à télescopes multiples (superposition d'images d'un même objet) atteignent dix fois la puissance des télescopes géants, et le traitement des images par ordinateur fait ressortir les moindres informations de chaque cliché. D'autre part, les satellites, les sondes, les interféromètres spatiaux permettent d'observer les corps célestes au-delà de l'atmosphère, sans altération des images. Images précieuses pour l'astronome qui cherche à découvrir toujours plus avant la structure de l'Univers, les mouvements et la constitution des étoiles.

Météorologiste ▷

La météorologie étudie la couche gazeuse qui entoure la Terre, et ses techniques d'observation, en relation avec la climatologie, la géographie et la physique du globe, permettent de comprendre, d'expliquer et de prévoir scientifiquement les phénomènes qui s'y produisent. Les mouvements atmosphériques sont dus à la variation de l'énergie que la Terre reçoit du Soleil ou qu'elle émet par rayonnement, et qui, de par sa rotation, dépendent de la distribution inégale de la pression sur le globe. Les échanges thermiques entre les régions chaudes et froides sont produits par des tourbillons qui se créent au contact des vents d'origine tropicale ou polaire, engendrant des fronts chauds ou froids. La prévision du temps est indispensable à tous ceux dont l'activité dépend des conditions météo : aviation, marine, agriculture, services hydroélectriques, déplacements en montagne, en régions polaires ou désertiques. L'observation à partir des satellites (Météosat, Nimbus, Argos, Spot) a beaucoup amélioré les données et la durée de prévision fournies par les stations terrestres et les ballons-sondes. Elle permet non seulement d'enregistrer la pression, la température, l'humidité, vents, nuages et précipitations, mais de prévoir les catastrophes : tempêtes, ouragans, inondations, sécheresses et avalanches. Le météorologiste étudie la structure de l'atmosphère et les turbulences, et assure la diffusion des mesures et des cartes.

Océanographe ▽

L'océanographie regroupe l'ensemble des sciences spécialisées dans l'étude de l'océan : la biologie marine (zoologie et algologie), la géologie et la géophysique, la chimie et la physique de la mer. Milieu originel de toute vie, l'océan est le plus grand réservoir de matière vivante, animale et végétale, et donc d'oxygène (fonction chlorophyllienne des algues) et d'aliments. Mais l'eau, qui recouvre 70 pour 100 de la Terre, est un élément où l'homme ne peut pas vivre sans moyens techniques. C'est un nouvel espace qu'il explore avec des robots, scaphandres, bathyscaphes et submersibles, tel le *Nautile* qui descend jusqu'à 6 000 mètres, pour faire des recherches en écologie abyssale. Ainsi at-on découvert des sources hydrothermales, les « fumeurs noirs », qui créent des oasis de vie au fond des lointaines fosses où nagent d'étranges êtres ignorant la lumière du soleil... D'autre part, l'observation des océans par satellites (télédétection) permet d'établir des cartes, sans cesse changeantes, des variations de température, des courants et des glaces, des vents et des vapeurs d'eau, ainsi que des couleurs indiquant les concentrations de plancton : des informations qui sont utiles à une meilleure gestion des ressources naturelles des mers. Pourtant, les méthodes classiques restent irremplaçables pour étudier les fonds marins et les reliefs sous-marins, les sédiments et les volcans, pour procéder à la prospection des minerais et du pétrole, à l'évaluation des ressources de la pêche. Malgré cela, l'océan est une planète inconnue et merveilleuse, où l'océanographe a encore tout à découvrir.

Zoologiste ▷

Les sciences qui étudient le règne animal comportent plusieurs disciplines divisant la zoologie en branches distinctes. Ce sont la systématique, ou classification des animaux, l'éthologie qui cherche à définir leur comportement, la paléontologie qui a permis de connaître l'origine des différents ordres et leur évolution. Certains zoologistes travaillent sur un seul groupe, poissons, oiseaux ou insectes, d'autres se consacrent à une espèce, gorille ou dauphin, sitelle ou fourmi rouge, ou encore à une famille d'amphibiens ou de papillons. Les espèces sont innombrables et il s'en découvre chaque année de nouvelles, dans les jungles, les cavernes et les océans. Contrairement aux grands mammifères qui se raréfient, de nombreux animaux plus petits ont réussi à s'adapter et à survivre dans les endroits les plus inattendus, malgré l'expansion humaine. Des études sont faites pour arriver à une meilleure compréhension de certains phénomènes en rapport étroit avec les sciences humaines : le langage, l'écholocation, le mimétisme, les migrations, complétées par des statistiques sur les populations et les biotopes spécifiques, les modes de comportement et de reproduction, qui permettent au zoologiste de contribuer à la sauvegarde des espèces, mais aussi à celle de l'équilibre écologique de la Terre.

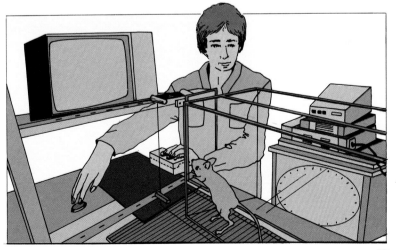

La recherche 3
Les sciences humaines

Anthropologue

Les sciences humaines, qui comprennent l'anthropologie, l'ethnologie, l'histoire, la sociologie, la linguistique, la psychologie, ont pour objet de connaissance les différents aspects de l'homme et des sociétés humaines. L'anthropologie physique étudie l'homme du point de vue anatomique, biologique, génétique et phylogénétique (mode de formation des espèces). L'anthropologie culturelle ou sociale étudie les cultures des nombreuses collectivités humaines avec leurs institutions, leurs structures familiales, leurs croyances et leurs technologies. Le travail de l'anthropologue consiste à découvrir ce qu'il peut y avoir de commun entre tous les hommes, qu'ils fassent partie de civilisations disparues ou actuelles, lointaines ou proches. Il recherche les variations dans le comportement humain, ce qui reste constant et ce qui fait partie des apports nouveaux, depuis l'apparition des premiers groupements préhistoriques jusqu'à nos jours. L'étude des sociétés disparues permet de mieux comprendre notre passé et notre futur. De nos jours le travail de l'anthropologue se rapproche de plus en plus de celui de l'ethnologue.

Ethnologue

L'ethnologie est une branche de l'anthropologie qui traite également de la diversité des comportements humains, mais uniquement dans le cadre de civilisations existantes ou en voie de disparition. Elle représente une ouverture d'esprit et la sensibilisation aux différentes minorités souvent deshéritées qui sont réparties dans le monde. L'ethnologue est donc amené à aller vivre dans les sociétés qu'il étudie. Il peut ainsi suivre au quotidien la manière d'être d'autres hommes, découvrir leurs coutumes, leurs rites et leur langage, leur façon de travailler, de rire et d'aimer; ou encore étudier l'impact d'un projet éducatif ou d'irrigation des terres. Si l'ethnologie s'occupe traditionnellement de peuples vivant en petits groupes ruraux, comme il en existe en Afrique et en Amérique du Sud, elle englobe dans ses recherches les nouvelles entités que sont les quartiers ou zones industrielles des villes et les problèmes rencontrés par les concentrations de travailleurs venant de cultures différentes, ainsi que les villages retirés ou en voie de disparition de certaines régions montagneuses ou désertiques. Son rôle est aussi d'enseigner une plus grande tolérance à l'égard d'autres peuples et de donner à tous les moyens de mieux se respecter.

Sociologue

La sociologie est une science générale des sociétés, qui utilise des méthodes de recherche conceptuelles (idées, opinions) pour décrire les comportements sociaux des individus ou des groupes humains qu'elle étudie. Partant du principe que les faits sociaux exercent une contrainte extérieure sur l'individu, elle détermine les phénomènes réguliers et comparatifs qui se dégagent de chaque époque. L'observation et la constitution de modèles descriptifs, à partir d'enquêtes quantitatives (documents, sondages, entrevues), comportent une part de subjectivité mais permettent dans l'ensemble de faire ressortir les influences, aussi bien positives que néfastes, d'un certain type de société (industrielle par exemple). Le sociologue recueille des informations se rapportant à un comportement particulier (sociologie du travail ou de l'habitat urbain), ou aux différents comportements d'un groupe qu'il classe par thèmes. Ces données lui fournissent les bases de ses hypothèses qu'il analyse, vérifie, puis interprète en variables, ou termes plus concrets. Des connaissances en psychologie, en histoire, en politique ou en ergonomie sont un atout considérable pour le sociologue, quel que soit le secteur d'activité qui l'intéresse, économie, enseignement ou recherche fondamentale.

Historien

L'histoire représente la suite des événements qui ont marqué le passé de l'humanité, des origines à nos jours. C'est une science qui étudie les hommes de toutes les époques et qui les fait revivre par les documents, chroniques, mémoires, mais aussi monuments, peintures, monnaies. Les méthodes de l'historien sont fondées sur l'analyse de ces sources pour expliquer les actions qui se sont déroulées au cours des âges, celles d'un seul homme comme celles d'une nation ou d'une période. La science historique s'est longtemps basée sur des notions anecdotiques pour relater des faits favorisant les grands personnages politiques aux dépens du peuple et des relations sociales. Aidée par la sociologie, l'ethnologie, la linguistique, elle s'efforce maintenant de reconstruire avec le plus d'exactitude possible ce qui s'est vraiment passé. Et, replacés dans leur contexte original, certains événements diffèrent fortement de leur légende ! Les recherches de l'historien sont passionnantes et le mènent par l'imagination au cœur de ses hypothèses de travail. Il ne néglige aucune source et s'imprègne de chaque détail pouvant lui permettre de comprendre et de reproduire dans ses ouvrages la manière de vivre, de penser, de réagir des hommes du passé. D'autres chercheurs se consacrent aussi à l'histoire, comme l'archiviste qui recherche et trie les documents historiques, le paléographe qui déchiffre les écritures anciennes ou le généalogiste qui dresse la liste des ancêtres d'une famille.

Géographe ▷

La géographie est à la fois une science naturelle et une science humaine. Elle se base sur l'observation directe, la photographie et la cartographie pour décrire et expliquer les phénomènes physiques, biologiques et humains qui déterminent l'aspect actuel de la surface de la Terre. Le géographe analyse les conditions offertes aux groupes humains (leur évolution démographique et spatiale), la répartition de la faune et des paysages, les ressources du sol et du sous-sol et les phénomènes naturels qui se produisent. Il dresse des cartes pour l'aménagement du territoire (reboi-

sement, urbanisme) et l'exploitation de nouvelles ressources. La climatologie, l'hydrologie (eau), la géomorphologie (reliefs terrestres), comme l'économie, la politologie et la démographie (quantité et variations des populations) permettent au géographe de compléter ses travaux de réflexion et de synthèse, et d'étudier les combinaisons des divers facteurs qui régissent la surface du globe et définissent les rapports de l'homme avec son milieu.

Le dessin

Artiste peintre △

L'art de composer avec des traits ou des couleurs une œuvre figurative ou abstraite, demande non seulement de l'adresse manuelle, de l'imagination et une manière originale de voir et de concevoir les choses et les gens, mais aussi une longue formation technique. L'apprentissage des formes, des proportions, des coloris, des ombres et des lumières est indispensable à l'artiste s'il veut pouvoir exprimer ce qu'il ressent. Même si certains moments peuvent paraître fastidieux, à l'école ou en atelier, c'est avec l'expérience du trait recommencé cent fois qu'il acquiert le coup de crayon ou de pinceau assez sûr pour le transformer en véhicule de sa pensée profonde. La vocation s'affirme aussi grâce à la culture, à tous les chefs-d'œuvre réalisés au cours des siècles et aux différentes écoles qui les ont fait naître. Mais il n'est pas facile pour un peintre de vivre de la vente de ses toiles. Pour les faire connaître, il lui faut le plus souvent passer par l'intermédiaire d'une galerie de peinture, à laquelle il confie le soin de les exposer. La gravure ou la restauration des œuvres d'art, métiers plus stables et rémunérateurs, sont souvent les bienvenus en attendant d'être reconnu.

Illustrateur ▷

Les domaines de l'illustration sont vastes et se retrouvent sous de nombreuses formes, récréatives, publicitaires ou éducatives, documentaires ou humoristiques, dans la presse, à la télévision, ainsi qu'à l'école. La bande dessinée et le dessin animé, sont des arts particuliers qui tiennent compte des techniques de l'édition (ou du cinéma). La BD est une suite d'images dessinées racontant une histoire. Le scénario est divisé en un certain nombre de tableaux dominants (story-board) qui sont utilisés comme base pour l'animation des personnages, dont les attitudes successives sont

portées sur des calques. Chaque dessin est conçu à la manière d'une mise en scène pour multiplier les situations, le texte intervenant pour faire parler les personnages et assurer la transition entre les images. Dessinateur et scénariste associent leur talent et leur imagination pour concevoir l'album. Le dessin animé est un film tourné à partir d'une série de dessins qui décomposent les mouvements en phases successives, à la cadence de 24 images par seconde. Les dessins terminés sont reportés sur des feuilles de Rhodoïd (matière thermoplastique) et mis en couleurs, puis filmés. Une piste sonore qui suit l'un des bords du film ajoute paroles, musique et bruits. Que les dessins soient destinés aux enfants ou aux adultes, la créativité et le sens du mouvement sont indispensables à l'illustrateur pour faire jouer à ses personnages le rôle qu'il leur a imaginé.

Graphiste　▽

Le graphiste est un artiste mais aussi un technicien. Qu'il travaille dans l'édition ou la publicité, il doit posséder des connaissances en typographie et avoir un solide sens des lignes, des formes, ainsi que des couleurs pour pouvoir combiner le plus harmonieusement possible les différents éléments convenant à la mise en page de son projet. Son rôle est de faire passer l'idée d'un auteur ou un message publicitaire en image pour attirer l'attention. Le graphisme des annonces, des dépliants, des affiches détermine largement le succès de vente d'un produit ou la bonne marche d'une entreprise. Le pouvoir de suggestion des images est énorme, et la communication visuelle s'améliore continuellement. Le graphiste met son talent artistique et son esprit d'invention au service de la publicité, de la presse ou de l'édition, et de certaines grandes entreprises, comme salarié ou en tant que travailleur indépendant. Le choix de la forme des lettres pour le texte et les titres, la présentation d'ensemble d'une page sont aussi une forme d'explication souvent nécessaire à la compréhension ou l'attrait d'un sujet scolaire ou documentaire.

Modéliste　▷

Dessinateur de mode, le modéliste invente les nouvelles formes, les nouvelles lignes d'une mode originale sans cesse renouvelée. C'est un artiste à la recherche d'un assemblage de couleurs, d'une esthétique ou d'un détail inédit qui donneront leur charme aux vêtements. Le renom des maisons de haute couture ou de prêt-à-porter repose pour une bonne part sur le génie créateur de leurs modélistes. Dans les bureaux d'études de l'industrie textile sont imaginés les nouveaux tissus aux impressions et aux coloris toujours différents. Les dessins géométriques ou abstraits, les fleurs ou les paysages imprimés dans les étoffes d'ameublement, des vêtements, de la lingerie sont issus de l'imagination du modéliste en tissus. Là aussi la mode est exi-

geante, mais le travail demande en plus une certaine technicité, car il faut savoir marier dessins et teintes aux divers fils et trames des étoffes. Les motifs décoratifs des papiers peints sont également l'œuvre des modélistes, comme l'est l'artisanale peinture sur soie.

Designer　▷

Le «design» (projet en anglais) est un mode de création industrielle s'étendant à tous les objets et machines utilisés dans les domaines les plus variés de notre société. Le designer conçoit des formes nouvelles et les habille des couleurs qui correspondent le mieux aux désirs esthétiques des consommateurs. La conception d'une voiture automobile, par exemple, dépend du travail conjoint de plusieurs dessinateurs. Le volume des mécanismes est calculé par les ingénieurs qui en définissent les performances ; l'habitabilité est mesurée par les ergonomistes (adaptation homme/machine) dans un souci de confort physique et de maniabilité ; la carrosserie est ébauchée en fonction de sa résistance à l'air par les aérodynamistes ; puis vient le designer ou styliste qui, compte tenu des critères établis par

les spécialistes du marketing, dessine la voiture définitive. Il adapte sa forme à la fonction qu'elle doit remplir tout en lui conférant une beauté plastique qui la rendra la plus attrayante possible. Dans tous les domaines, le designer tente d'harmoniser la fonction utilitaire avec l'environnement humain.

Les arts plastiques

Sculpteur ▷

La sculpture est un art qui remonte loin dans le temps, comme en témoignent les nombreux monuments historiques. Héritiers des compagnons du Moyen Age, les sculpteurs d'aujourd'hui, s'ils ont diversifié leurs outils et leurs matériaux, gardent le même désir créateur de formes plastiques, de beauté esthétique. Leurs mains pleines de sensibilité et de force taillent au ciseau les blocs de grès ou de marbre, de bois ou de plastique, façonnent la terre ou le fer forgé ou coulent le bronze pour réaliser des figures artistiques au modelé puissant ou délicat. Statuaire, animalier ou ornementaliste, le sculpteur a rarement la pos-

sibilité de vivre de son art. Il faut de longs mois pour parfaire une sculpture, de la patience et de la persévérance, et les commandes peu nombreuses émanent plutôt des architectes et des urbanistes que des particuliers. Mais certains sculpteurs se consacrent à la restauration des merveilles architecturales du passé, comme c'est le cas pour la cathédrale de Strasbourg (XIIᵉ siècle) qui a autrefois souffert des incendies et maintenant de la corrosion, et qui nécessite des soins constants. Les sculpteurs y accomplissent depuis de très nombreuses années des chefs-d'œuvre dignes des vieux maîtres. En utilisant la taille à l'ancienne, ils reproduisent, à l'aide de patrons en zinc ou en carton, les anges et les arabesques de grès rose qui font la beauté de ce monument.

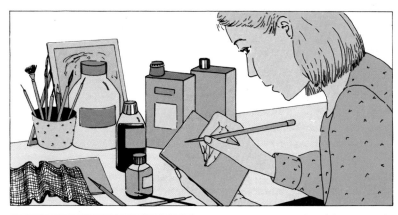

Graveur △

La gravure est un art qui s'est beaucoup perdu depuis que les machines sont capables de graver à la chaîne n'importe quel motif décoratif sur n'importe quelle matière. Pourtant, quelques artistes perpétuent ce métier fait de précision et de longue patience, et dont chaque dessin, exécuté avec habileté et originalité, reste inimitable. La gravure sur métal, ou chalcographie, est réalisée à l'aide d'un burin qui creuse des sillons précis dans le cuivre, le bronze ou l'acier, en suivant les lignes d'un schéma dessiné préalablement sur papier. Le tra-

vail de l'orfèvre, sur or et argent, du médailler et de l'héraldiste (science des blasons) est encore plus délicat, les traits incisés étant définitifs. La gravure sur bois, ou xylographie, utilise à l'inverse une technique qui fait ressortir le dessin en relief. Le bois est creusé tout autour, copeau après copeau, jusqu'à l'apparition du tracé complet de l'image. Une autre forme de gravure est celle de la lithographie, utilisée dans l'édition de luxe pour insérer des estampes dans les ouvrages rares. A partir de la représentation inversée d'un dessin, tiré à l'encre grasse sur une pierre calcaire, celui-ci est reporté à l'endroit sur papier (en impression à plat). Et puis, il y a aussi le graveur en timbres-poste et le graveur sur cristal ou sur nacre. Et chacun d'eux, crée des merveilles de finesse.

Restaurateur d'œuvres d'art ▷

Les travaux de restauration touchent tous les domaines du patrimoine artistique, tant la peinture, la sculpture ou les tapisseries, que les meubles et les tissus anciens, la poterie, la marqueterie, les vitraux, les livres d'art ou les bois dorés. Le restaurateur d'œuvres d'art s'ingénie à redonner aux belles choses du passé, usées par le temps ou détériorées par les mauvais traitements,

leur aspect original. Pour faire revivre ces témoins d'autres époques, il doit étudier leur histoire et retrouver aussi bien les méthodes de travail qu'utilisaient les artisans que les pensées et les désirs qui les motivaient. C'est un long travail minutieux, empreint de patience et de recueillement, que le restaurateur, guidé par son habileté d'artiste, exécute dans son atelier ou sur les sites archéologiques et les monuments historiques, où fresques, statues et mosaïques témoignent du savoir ancien des hommes.

Décorateur

Le décor ou l'architecture intérieure d'une maison d'habitation ou d'un lieu public est un élément appréciable du bien-être quotidien et de la vie en société. Il est agréable de pouvoir vivre, travailler, voyager dans un cadre harmonieux, intime ou luxueux, correspondant aux aspirations de chacun. Le décorateur est un créateur et un technicien dont les connaissances en dessin et en construction sont aussi importantes que son imagination et son sens esthétique. Décorer un appartement est à la portée de toute personne de goût, mais l'aménagement d'un grand hôtel, d'un hall d'aérodrome ou des salons de réceptions officielles implique, outre les éléments de décor et de confort, les installations pratiques d'hygiène et de communication, de sécurité aussi, et se réalise en accord avec les architectes et le budget. Le décorateur dispose les formes, harmonise les teintes et les objets et crée l'ambiance que l'on trouve dans les trains et les bateaux, dans les halls d'exposition ou les théâtres, et dans tout endroit qu'un arrangement artistique ou un éclat particulier peut rendre plus accueillant pour ceux qui le fréquentent.

Photographe △

La photographie est un art qui attire des millions d'amateurs pour qui c'est une manière de voyager, de se souvenir. Mais pour en faire un métier, il faut des compétences techniques et un sens artistique certain, accompagnés d'un caractère sociable et combatif à la fois, pour charmer les clients et résister à une concurrence omniprésente. L'automatisation et les progrès techniques apportés aux surfaces sensibles (images, couleurs, développement) sont à l'origine du prodigieux essor de la photographie. Plus performante, elle devient accessible à tous les publics, mais plus affinée, elle

pousse le professionnel à rechercher la perfection du cliché, clé de la réussite dans tous ses champs d'action. Le photographe est souvent spécialisé dans l'une des différentes formes de création : publicité, reportage, mode, portraits, animaux. Pourtant, c'est très certainement la publicité qui offre la plus grande variété de sujets, des parfums aux voitures, en passant par tous les produits commercialisés, ainsi que la possibilité de travailler en équipe. L'architecture ou le dessin peuvent fournir une bonne base pour démarrer dans cette profession indépendante, plus quelques économies, le temps de constituer un *book*, ou dossier-photos à montrer aux clients potentiels..., des notions de commerce et beaucoup de persévérance.

L'édition

Éditeur ▷

Édition veut dire publication des livres, leur impression et leur diffusion, ainsi que le nombre d'exemplaires, en un ou plusieurs tirages, qui sont imprimés de chacun d'eux. Pourtant, la gestion d'une maison d'édition est celle d'une entreprise commerciale, au sein de laquelle les services de marketing, de comptabilité et de diffusion prennent le pas sur les services littéraires, tout au moins en ce qui concerne les personnes employées, c'est-à-dire les trois quarts. L'éditeur est donc avant tout un gestionnaire qui connaît les impératifs commerciaux, administratifs et financiers, en plus des techniques de fabrication et d'impression. Certains éditeurs se spécialisent dans la publication d'un type défini d'ouvrages : livres d'art, bandes dessinées, livres techniques ou romans. Cependant, la plupart des maisons d'édition ont un département de littérature générale qui se donne pour tâche de publier les écrits de jeunes auteurs qui deviendront des classiques. Dans ce domaine, le rôle de l'éditeur est celui d'un découvreur de talents. Un rôle difficile et passionnant, qui ne s'accorde pas toujours avec celui de gestionnaire. L'éditeur est parfois tenté de donner sa chance à une œuvre qui lui paraît belle, mais hésite néanmoins à le faire en raison des risques financiers que cela représente : l'auteur n'est pas encore connu et son œuvre risque de ne toucher qu'un public restreint... Or, l'objectif de tout éditeur, ce sont les ventes, qu'il réalise avec l'appui de la publicité.

106

Écrivain

L'écriture est à la fois un moyen de communication et un moyen d'expression. A son plus haut niveau, le métier de l'écrivain est un art qui requiert, au-delà d'une connaissance approfondie de la langue, d'une bonne maîtrise de la syntaxe et du vocabulaire, ainsi que de la culture et des connaissances, le don de faire passer dans les mots, dans les phrases, non seulement ses idées mais aussi ses émotions, sa sensibilité, sa personnalité profonde. C'est son inspiration qui permet à l'écrivain de créer un univers auquel le lecteur adhère, le temps de la lecture du livre, au point d'en oublier la réalité. Qu'il soit romancier, poète, auteur dramatique, scénariste de film ou de BD, l'écrivain puise dans son imagination la matière nécessaire à l'élaboration du récit ou fiction qu'il compose, ou de l'histoire vécue qu'il transpose, dans la forme et le style qui lui sont personnels. Les ouvrages historiques ou scientifiques, basés sur une documentation et relatant des faits réels, exigent, en plus des talents de l'écrivain, la rigueur de l'homme de science pour retracer une époque ou développer une thèse. Des études de lettres mènent souvent vers le métier d'écrivain, pourtant le besoin et le plaisir d'écrire peuvent naître chez tous ceux qui ont un goût inné pour ce véhicule de la pensée qu'est l'écriture.

Maquettiste ▷

La photocomposition, qui permet d'obtenir les textes composés directement sur films photographiques, tend à transformer le métier de maquettiste. Les textes sont maintenant produits par des systèmes informatiques et tapés sur des claviers de composition par les clavistes. Le maquettiste organise sur un écran de mise en page l'emplacement et la longueur des textes voulus pour chaque page, compte tenu des blancs (espaces libres), des filets (traits qui séparent ou encadrent les textes) et des illustrations, photographies ou dessins, accompagnés de leur légende. Il prépare ainsi une maquette sous forme photographique, ébauche du livre destiné à être imprimé, avec ses cotes : titres, largeur des colonnes et calligraphie (caractères de l'écriture), dont une épreuve papier peut être obtenue sur une imprimante de contrôle. Ce système informatisé ne s'étend toutefois pas à toutes les publications, et de nombreux ouvrages restent le fruit d'un travail plus artistique et artisanal. Dans ce cas, le texte et les illustrations sont exploités séparément. Les épreuves du texte composé sont placées sur des feuilles appelées « gabarits » suivant une hauteur de colonne précise. L'emplacement des légendes et illustrations est indiqué. Photographies et dessins sont envoyés en photogravure avant le montage définitif. Cette maquette papier servira de modèle à l'imprimeur. Le maquettiste est un technicien spécialisé en arts graphiques.

Documentaliste ▷

La recherche de documents est une activité importante dans de nombreux domaines, historique, scientifique ou informatique, dans l'enseignement, la télévision ou l'édition. Le documentaliste recueille les preuves écrites ou photographiques d'un sujet, les trie, les classe et en établit un répertoire sous forme de fiches ou de microfiches. C'est un travail qui demande de la méthode et de la précision, ainsi qu'une bonne culture générale et la pratique des langues étrangères, afin de pouvoir juger de la valeur et de l'intérêt du document, quel que soit l'organisme ou le pays de sa provenance. Dans l'édition, le documentaliste s'occupe de rassembler les photographies, les dessins ou graphiques nécessaires à l'illustration d'un ouvrage, en collaboration avec l'auteur et le maquettiste, pour en déterminer le plan éditorial. L'évocation par l'image d'un texte peut concerner les sujets les plus variés et requiert à chaque fois une documentation spécifique distincte, ce qui suppose, outre une facilité d'adaptation et des notions en informatique, un goût artistique très sûr.

Écrivain public

L'écrivain public n'est plus celui qui autrefois composait des lettres sur la place du village. Aujourd'hui, s'il porte à nouveau ce nom, il est surtout un conseiller en correspondance qui rédige des lettres d'affaires, non pour des illettrés, mais pour des gens qui sont aux prises avec le langage administratif ou juridique et qui ne savent pas quels mots employer pour être compris. C'est une profession indépendante, originale et particulièrement utile aux autres dans une société où chacun est amené à affronter les formulations spécifiques et peu compréhensibles de certaines institutions. Sa culture et sa maîtrise du langage permettent à l'écrivain public de répondre dans les termes voulus à la place de ceux qui éprouvent des difficultés à énoncer leur requête ou leur réplique. Il écrit aussi des témoignages et des remerciements, des lettres d'amour et des poèmes. Mais pour vivre de ce métier, il le complète par des activités plus rémunératrices, traductions, dactylographies, corrections de manuscrits, tout en restant disponible pour ses travaux ponctuels d'assistance.

La presse

Rédacteur en chef

Tout se passe très vite dans l'élaboration d'un journal, surtout s'il est quotidien. Faits divers, articles de fond, rubriques sportives ou culinaires, photos et encarts publicitaires doivent trouver leur juste place dans les pages qui seront imprimées, assemblées et livrées au public le lendemain matin. La tâche du rédacteur en chef est de superviser et de coordonner les travaux des journalistes, rédacteurs, secrétaires de rédaction et documentalistes. Il prend connaissance des dépêches d'agences qui tombent sur les téléscripteurs, des nouvelles téléphonées par les envoyés spéciaux dans le monde, des faits nationaux ou régionaux marquants et décide de leur mise en page par ordre d'importance. Son objectif est de renseigner ses lecteurs, mais aussi de vendre le plus grand nombre de journaux. Pour y arriver, il soigne tout spécialement la première page, la une, et choisit d'y insérer les articles et illustrations qui auront le plus d'impact sur l'imagination des gens. Titres accrocheurs et formules-choc font partie de cette gageure renouvelée chaque jour. Son rôle dans la presse hebdomadaire ou mensuelle est différent mais tout aussi ardu, car le lecteur attend de ces périodiques une plus grande qualité d'information, un effort de synthèse, une réflexion approfondie et originale sur des événements qui ont été traités «à chaud» dans les quotidiens, à la radio ou à la télévision. C'est un métier passionnant, fait de responsabilités et de présence d'esprit.

Journaliste　　　　　　▽

Le travail du journaliste consiste à relater des faits, par écrit dans les journaux ou oralement à la radio et la télévision, afin d'informer le public des derniers événements. Il est souvent spécialisé dans un domaine précis (politique, social, scientifique, économique, sports ou cinéma) qu'il connaît bien et dont il est capable de discerner les moindres changements, les moindres implications. Se tenant au courant de tout ce qui concerne le sujet et se passionnant lui-même pour ce qui intéresse le lecteur, il rapporte les incidents ou des actions, explique les cheminements et les hypothèses, éclaircit les points obscurs et fait part de ses conclusions. C'est toutefois un métier qui comporte plusieurs aspects, tant au niveau du traitement des informations qu'à celui de la rémunération. Cela va du pigiste, payé à l'article et dont le nom n'apparaît pas souvent, à l'éditorialiste, proche de la direction, qui exprime dans ses articles de fond l'orientation politique de son journal. Beaucoup de professionnels du journalisme sont sédentaires, et relativement peu d'entre eux ont la possibilité de se déplacer pour suivre une affaire, interviewer une personnalité ou enquêter sur un événement. C'est un métier difficile qui se verra de plus en plus confronté à l'informatique, la rédaction électronique et l'impression à distance, et qui, quel que soit le moyen utilisé pour faire passer l'information, exige de l'honnêteté et de le persévérance.

Reporter ▷

Le reportage est une forme de journalisme qui se réalise sur le lieu de l'événement, du match de football au conflit armé, et qui mène le reporter au cœur de l'action. Lorsqu'il se produit une manifestation ou un accident, à proximité ou à l'autre bout du monde, des équipes de reporters, de photographes et de cinéastes sont envoyées sur place pour rendre compte de ce qui se passe et de l'évolution de la situation. Lecteurs et auditeurs sont ainsi informés de tous les événements, ordinaires et extraordinaires, et peuvent en suivre le récit et les images dans leurs journaux et à la télévision. Le reporter, qui observe, recueille des témoignages et commente les faits, accepte d'être toujours disponible, prêt à partir à tout instant pour « couvrir » l'actualité, c'est-à-dire en assurer une information complète. S'il est parfois un voyageur intrépide qui risque sa vie dans les « points chauds », l'intérêt de son travail n'est pas fonction de la distance, du lieu ou du drame, car tous les sujets ont une valeur en soi. Le reportage demande de l'imagination et de l'indépendance d'esprit, de la rigueur intellectuelle et du courage.

Correcteur

La correction de texte est une étape éditoriale importante qui se situe entre la rédaction et l'impression. Que les épreuves soient réalisées sur papier ou qu'elles apparaissent sur écran, il est indispensable de les relire attentivement pour en éliminer les erreurs. Fautes de frappe, d'orthographe, de ponctuation ou de caractères, raccourcissement du texte, qui nécessite un rééquilibrage des phrases, ou changement de disposition des mots pour remplir une ligne blanche, doivent être minutieusement rectifiés et aménagés par le correcteur, selon des signes conventionnels indiqués en marge ou directement sur la mémoire de l'ordinateur. Il vérifie le bon déroulement du texte en le comparant mot pour mot au manuscrit de l'auteur ou à la transcription de son message. Livres et articles de presse sont peu agréables à lire lorsqu'ils comportent des « coquilles ». Un bon correcteur doit être capable de voir les détails tout en percevant l'ensemble du récit, ce qui exige des qualités de réflexion en plus d'une connaissance approfondie de la langue et d'une culture étendue.

Imprimeur ▷

L'imprimerie, comme d'autres secteurs industriels, s'automatisent de plus en plus. Plusieurs stades de la préparation des textes jusqu'à celui de l'impression, qui se réalisaient sur papier, sont maintenant stockés sur mémoires d'ordinateur et rappelés pour être composés, corrigés, montés et tirés sur écrans vidéo. Après les dernières corrections, ils sont transmis à une photocomposeuse à laser qui grave une plaque à l'image inversée de chaque page, et lorsque toutes les pages sont traitées, les plaques sont montées sur les cylindres d'une rotative offset (procédé de la lithographie). Le journal peut alors être imprimé. Seulement, les systèmes automatiques coûtent très cher et bien des imprimeries continuent d'employer les méthodes classiques de la composition sur papier et de l'impression typographique, ainsi que les ouvriers qualifiés nécessaires au fonctionnement de l'entreprise. Mais l'imprimeur sera tôt ou tard confronté à des problèmes de rendement et de consommation de papier que seules les technologies nouvelles peuvent résoudre.

La musique et la danse

Compositeur ▷

Depuis les temps les plus reculés, la musique rythme la vie des hommes. Chants, danses et instruments font partie de toutes les civilisations, préludant à la guerre comme à la paix, à la fête comme à la tristesse, depuis toujours. C'est une expression artistique qui combine des sons selon les règles de l'harmonie (enchaînement des accords) et organise de manière mathématique des suites de notes en phrases musicales. Les styles et les genres de musique sont très diversifiés : symphonique ou lyrique (opéra), jazz, pop ou synthétique (électronique), musique de ballets, de films, de variétés. Classiques ou modernes, si la plupart d'entre elles ont été créées par le génie des com-

positeurs, certaines sont issues des nombreux folklores de la Terre. Le compositeur écrit sa musique sur des partitions en y disposant les notes des phrases musicales qu'il invente, puis les combine pour construire un tout dont les différentes parties peuvent être lues et jouées simultanément. Il possède une grande culture musicale et sait

user des harmonies, de la rythmique et de la dynamique des sons pour concrétiser ce qu'il ressent. Toutefois, rares sont ceux qui réussissent à faire éditer et jouer leurs œuvres ou à les enregistrer, mais à défaut de vivre de leurs compositions, certains vivent de la musique, et pour elle, comme instrumentistes ou professeurs.

Instrumentiste △

Jouer d'un instrument est à la portée de tous, mais en faire une profession demande des années de

travail, d'exercices mille fois recommencés. L'enseignement rigoureux de la musique classique dans un conservatoire constitue le meilleur moyen d'apprendre le solfège, les gammes et les harmonies : la base de départ indispen-

sable à la maîtrise d'un instrument, quel que soit le genre de musique visé, classique ou dérivé du jazz et du folklore. La virtuosité au piano ou au violon, à l'orgue électrique ou à la guitare ne s'acquiert qu'avec l'étude, la pratique et beaucoup de persévérance, mais aussi en possédant un sens inné de la musique, du rythme et de la note juste. L'instrumentiste est un artiste capable de suivre une partition et de jouer sous la direction d'un chef d'orchestre ou d'accompagner un chanteur et d'improviser sur un thème donné. Il peut alors faire partie d'un orchestre ou devenir soliste et peut-être atteindre la notoriété en enregistrant des disques et en participant à des concerts, ou encore en interprétant sa propre musique.

Chanteur

Le chant est le moyen le plus naturel que l'homme possède pour s'exprimer en musique. Les voix sont toutes différentes les unes des autres, dans leur registre plus ou moins étendu, grave ou aigu, et leur timbre plus ou moins mélodieux. Pour devenir chanteur, il importe que la voix sonne juste et qu'elle soit maîtrisée au niveau de la respiration, de la sonorité et de la modulation (passage d'une note à une autre), ce qui peut être instinctif ou appris. Mais pour réussir professionnellement, il est indispensable de travailler sa voix, comme le font les chanteurs lyriques qui se préparent pendant des années avant de monter sur une scène d'auditorium ou de théâtre.

Bien des chanteurs, après s'être distingués au palmarès de la chanson, se sont mis à suivre des cours de musique, de chant et de danse afin de se perfectionner et de maintenir leur popularité. La chanson de variété est en continuelle évolution et impose toujours plus de qualités et d'originalité. C'est un métier difficile et contraignant qu'il est préférable d'aborder avec une solide préparation musicale.

Chorégraphe

La chorégraphie est l'art de faire de la danse un moyen d'expression figurative en accord avec la musique ; une histoire exprimée en une suite de figures dont les pas, les gestes et les mouvements suggèrent les images alors que les sons et les harmonies en tissent la trame. Le ballet est une composition chorégraphique dans laquelle chaque attitude du corps, chaque position des pieds est notée minutieusement sur le papier en corrélation avec le livret musical. Du respect de ces signes particuliers et souvent complexes dépend la réalisation de l'ensemble, car il est primordial que la rythmique des gestes se superpose fidèlement à la cadence musicale et que la gamme des pas complète les attitudes du corps. Ce travail délicat est accompli par le chorégraphe qui met en place les danseurs au cours des répétitions. Il leur explique les intentions des personnages de l'histoire, leur indique les mouvements à réaliser et corrige les enchaînements des différents tableaux. Il est un compositeur et un metteur en scène qui se consacre aux ballets de tradition classique ou d'avant-garde, mais c'est surtout un artiste que la danse et la musique rendent un peu magicien ! Car les contes ont toujours été merveilleusement interprétés en chorégraphie.

Danseur △

La danse, faite de mouvements corporels, de gestes et de pas rythmés, reflète un langage inexprimé qui remonte aux premiers âges de l'humanité. Battements de mains et frappements de pieds furent d'abord des actes spontanés qui s'élaborèrent peu à peu en système pour former les danses religieuses ou guerrières des sociétés primitives, accompagnant la voix, puis les instruments. Les danses théâtrales, issues des danses de cour du XIVe siècle, instaurèrent les bases rythmiques de la danse classique, aux figures de plus en plus complexes et réglées à la cadence de la musique. Mais c'est à partir du XVIIIe siècle que la chorégraphie devient un art de composition s'exprimant à travers des ballets d'allures et de maintien harmonieux. La danse est un phénomène social important, inhérent à toutes les communautés, à toutes les époques, qu'il s'agisse d'expression rituelle, folklorique ou académique. Le difficile apprentissage de la danse commence très jeune, entre huit et douze ans, et le professionnel, danseur de ballets classiques ou modernes, danseur acrobate ou patineur artistique, travaille pendant de longues années pour harmoniser ses gestes et les accorder au livret musical, pour réaliser les enchaînements d'exercices et ajuster les mouvements d'ensemble. C'est un métier très dur, qui exige souplesse, énergie et discipline, en plus d'une profonde sensibilité artistique.

Le théâtre et le cirque

Metteur en scène ▷

La mise en scène d'une pièce de théâtre nécessite des qualités artistiques, techniques et humaines, ainsi qu'une grande imagination et la faculté de s'adapter aussi bien à un drame qu'à une comédie. Tout est important sur une scène : les décors, les éclairages, la place de chaque acteur avec sa manière de se mouvoir, de parler. Le metteur en scène veille à la bonne interprétation du texte, à l'intensité dramatique ou comique de la voix, au rythme des dialogues accompagnés des gestes et des mouvements qui les soulignent. Son mérite consiste à entraîner le spectateur dans un jeu donnant toutes les apparences de la spontanéité et de la vraisemblance. C'est un travail énorme qui comprend le choix du cadre dans lequel l'action va se dérouler, le décor, concret ou suggéré, le mieux adapté à l'histoire et à l'époque ; ainsi que le choix des interprètes correspondant aux personnages de la pièce, tels que les imagine l'auteur, avec leur caractère et leur aspect, capables de jouer dans des situations données. Viennent ensuite les répétitions que le metteur en scène dirige méthodiquement, reprenant une intonation, une attitude, surveillant les jeux de scène, vérifiant le moindre détail des costumes, des accessoires, des lumières, et donnant le meilleur de son énergie. Un métier qui exige beaucoup sur le plan physique et psychique, et qui peut apporter certaines désillusions, des problèmes d'argent et de personnes, mais aussi de grandes joies lorsque le public et les critiques sont satisfaits.

Comédien △

Il n'est pas donné à tous de devenir comédien, c'est une question de faculté innée : le don de pouvoir reléguer sa propre personnalité au second plan pour endosser celle d'un personnage de théâtre, échanger sa manière de voir et de réagir, son aspect, ses gestes contre ceux d'un autre, le temps d'une soirée ou d'une séquence de travail. L'art dramatique s'apprend au conservatoire, mais pour réussir, il faut non seulement savoir jouer la comédie et avoir une bonne mémoire, il faut aussi posséder des qualités d'intelligence et de présence, de créativité et d'équilibre. Dire un texte appris, ou le crier, en donnant l'impression de parler ou de se fâcher naturellement, pleurer ou rire quand le rôle l'exige, en y mettant les expressions du visage, les attitudes et les gestes voulus, n'est pas facile à réaliser. L'art dramatique est avant tout une vocation qui demande beaucoup de persévérance et de motivation, d'abnégation aussi pour surmonter les nombreux aléas du début, comme le manque de travail, de contacts, d'argent, ou d'aptitude pour certains rôles. L'adaptation est souvent difficile et la concurrence âpre. Mais avec du talent et de la volonté, les portes ne restent pas toujours closes, même s'il y faut une longue patience.

Régisseur

Un théâtre représente une vaste organisation, tout un monde de travail, dont les pièces jouées par les comédiens ne sont que la face visible, l'aboutissement d'une longue préparation en commun. Ce sont les costumières qui confectionnent les divers atours : couturières et modélistes, elles sont capables de concevoir des habits pour chaque époque, du plus strict au plus chatoyant. Les habilleuses qui s'occupent de la mise des comédiens, les aident à changer de costume et d'aspect. Les décorateurs qui créent les éléments de décor avec leur goût de la peinture et du spectacle, cependant que les éclairagistes préparent et règlent les effets lumineux et sonores. Ce sont encore les machinistes, indispensables et omniprésents en coulisses, qui mettent en place les décors, les montent et les démontent avec précision ; ils rendent tous les services, en menuiserie et en serrurerie, en tapisserie et en électricité. Et pour coordonner ces multiples tâches, qui font qu'un spectacle peut être réalisé, se trouve le régisseur. Celui qui organise et contrôle, qui veille sur les acteurs et les machinistes, prend des décisions et résout les problèmes, transmet les directives du metteur en scène et tient le livre de bord des représentations. Gestionnaire du théâtre, technicien et administrateur artistique, il est le pivot de la troupe et celui qui frappe les trois coups lorsque tout est prêt pour le lever de rideau !

Jongleur　▷

La vieille tradition du cirque a survolé le temps pour venir nous étonner encore, et les spectacles acrobatiques ou équestres que l'on peut voir sous un chapiteau sont plus que jamais appréciés de tous les publics. Musique, costumes, paillettes et numéros extraordinaires en font une féerie qui ravit l'imagination. Drôleries et virtuosité s'enchaînent, du trapéziste qui s'élance dans le vide pour planer et pirouetter d'un trapèze à l'autre, au funambule qui marche en équilibre sur un fil, puis au jongleur qui lance et rattrape successivement des objets qu'il envoie voltiger au-dessus et autour de lui avec une adresse surprenante. Il exerce l'un des plus anciens métiers du cirque et fascinait déjà les spectateurs du Moyen Age lorsqu'il accompagnait les troubadours de château en château. Dextérité, agilité, synchronisation des mouvements et harmonie des gestes ne s'obtiennent qu'à force de travail, d'exercices répétés inlassablement chaque jour. Les métiers du cirque sont maintenant enseignés dans un centre où les élèves ont la possibilité, à partir de seize ans, d'apprendre simultanément toutes les disciplines et de devenir des artistes complets.

Clown　△

Le clown est le personnage central du cirque, celui qui fait rire par ses pitreries, ses maladresses et ses mimiques pathétiques, celui qui retient l'attention pendant les enchaînements de numéros et les changements de décors. Un clown est à la fois comédien, mime, musicien, jongleur ; il sait tout faire avec aisance et humour, et ses bouffonneries sont minutieusement travaillées et répétées. Il récite et chante, joue, tombe, pleure et rit, et interpelle enfants et adultes pour la plus grande joie de tous. Ce métier d'amuseur public s'apprend, mais il demande d'exceptionnelles qualités artistiques et beaucoup d'imagination pour inventer de nouveaux sketches, de nouvelles farces, de nouveaux déguisements. L'art du comique est l'un des plus difficiles qui soit, et l'un des plus fabuleux aussi.

113

La radio et la télévision

Directeur des programmes

La préparation d'un programme radiophonique ou télévisé se fait en équipe, selon l'intérêt que suscitent les différentes émissions et les heures d'écoute. La diffusion des nouvelles, de la météo, des séquences récréatives, documentaires ou littéraires, les retransmissions sportives, les intermèdes musicaux ou les projections de films et de feuilletons, et l'insertion des divers spots publicitaires sont programmés et minutés heure par heure en fonction de la demande et de l'actualité. Les émissions sont préparées des jours, des semaines à l'avance, même des mois dans le cas de grands événements tels qu'une campagne électorale ou un championnat international, ce qui permet de leur consacrer le temps qu'en attend le public. Il est important aussi que celui-ci puisse choisir ce qui lui plaît d'écouter ou de voir en consultant les programmes dans la presse. Le programmateur doit non seulement tenir compte du goût du public pour certaines émissions, mais encore des habitudes qui s'instaurent en regard d'une présentation, d'une animation ou d'une formule particulière. Il peut se baser sur l'indice d'écoute pour connaître le succès ou l'insuccès d'une émission, d'un speaker, et son travail s'en trouve souvent fort compliqué et parfois même compromis. Car une chaîne de radio ou de télévision, comme toute entreprise, est soumise à des impératifs financiers. Et une programmation captivante, équilibrée et objective en est la meilleure garante.

Réalisateur ▷

Chaque thème traité à la radio ou à la télévision fait l'objet d'une étude approfondie et d'une préparation minutieuse. La responsabilité de l'antenne pour le temps d'une émission incombe au réalisateur qui l'organise dans ses moindres détails avec la collaboration des assistants de production et le concours des techniciens du son et de l'image. Les documents, le texte et les séquences de films ou de causeries sont soigneusement rassemblés et minutés, ainsi que le temps de parole prévu pour un commentaire ou une interview. Le studio et le matériel sont choisis en fonction de l'importance du sujet à développer, du nombre de personnes présentes ou des personnalités politiques, sportives ou artistiques invitées. Les émissions qui sont transmises en direct exigent un soin tout particulier et beaucoup de présence d'esprit, la réussite de leur réalisa-

tion ne pouvant tolérer ni erreur intempestive, ni silence prolongé. S'il s'agit d'une œuvre de fiction, le réalisateur engage les interprètes, dirige les répétitions et préside au tournage ou à l'enregistrement. Tout est noté avec précision, les voix, la musique, les bruitages qui viennent se superposer à l'action, en vue de leur diffusion radiophonique ou du montage d'un film pour la télévision.

Présentateur ▷

Le rôle du présentateur varie en fonction du contenu des émissions diffusées, et si son apparence physique est d'une grande importance pour la télévision, seule sa voix compte pour la radio. L'annonce des programmes est généralement faite par une présentatrice, ou speakerine, à la diction parfaite. Pour accéder à ce poste, elle doit en plus faire preuve d'intelligence et de présence d'esprit, et la sélection est sévère. Le bulletin d'information est commenté par un (ou une) jour-

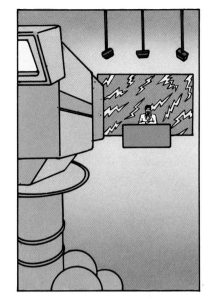

naliste compétent et efficace. Le tri des dépêches est effectué par toute une équipe qui prépare et rédige avec lui les textes annonçant les événements. Pourtant sa manière de les présenter reste très personnelle. Le commentateur sportif est, lui, spécialiste d'un sport, et c'est sa façon d'en énoncer les règles et d'interpréter les actions des joueurs qui importe. D'autres spécialistes, ainsi que des artistes, animent des émissions dont le succès dépend souvent de leur forte personnalité. Quant aux animatrices de séquences pour enfants, elles sont jugées par ceux-ci pour leur drôlerie et leur dynamisme.

Illustrateur sonore

L'illustration sonore des émissions revêt une grande importance, à la radio comme à la télévision. Musiques de génériques ou fonds sonores annoncent et accompagnent chaque séquence : bulletins d'information, reportages, variétés, dramatiques, en direct ou en différé. L'illustrateur est chargé de choisir les enregistrements musicaux qui conviennent le mieux pour mettre en valeur les mots et les images. Sa connaissance étendue de la musique et de la musicologie (étude des rapports de la musique avec l'histoire, l'art et l'esthétique) lui permettent de trouver et d'ajuster aux situations les sons qui correspondent au climat qu'elles évoquent. C'est un métier passionnant qui l'amène à rechercher ses illustrations non seulement parmi les milliers de disques existants, mais aussi parmi les nombreuses compositions inédites qui lui sont proposées, ou encore celles qu'il compose et crée lui-même. Et ces musiques sont généralement si bien liées à l'action, qu'elles semblent faire partie intégrante des mots prononcés et des images qui défilent, alors qu'en réalité, elles découlent d'un difficile travail de recherche, puis d'adaptation et de synchronisation.

« Thécaire » ▷

Bibliothèques, discothèques et phonothèques de l'audiovisuel recèlent des milliers de livres, de disques et de films, éditions rares ou épuisées, musiques et images anciennes et nouvelles, et les enregistrements de toutes les émissions diffusées sur les antennes. Cette fabuleuse mémoire de la radio et de la télévision est un outil de travail continuellement utilisé et consulté qui se doit d'être cohérent et efficace. La sélection et la conservation de ces innombrables et précieux documents sont l'œuvre du «thécaire» qui s'occupe de leur analyse, de

leur indexation et de leur saisie sur ordinateur. Il y joint une fiche de renseignements (date, lieu, nature de l'émission, personnes présentes) afin de retrouver programmes et extraits en quelques minutes. Les disques, films, bandes magnétiques et vidéo sont disponibles à tout moment pour illustrer, expliquer une émission. Le «thécaire» est un documentaliste expert en musique et en littérature comme en cinéma, qui reçoit et trie chaque année 60 000 documents, c'est-à-dire 10 000 heures de télévision et autant de radio, représentant les résultats de l'imagination et de la technicité mises au service de l'information et de la communication.

Le cinéma 1

Directeur de production

Depuis l'invention des frères Lumière en 1895, les procédés d'enregistrement, de production et de diffusion du spectacle cinématographique n'ont cessé d'évoluer et de se perfectionner. Pourtant, si l'amélioration des techniques permet des prises de vues et de sons toujours plus parfaites, des trucages plus proches que jamais de la réalité, la fabrication d'un film, constitué de photographies animées, reste la même. Elle part d'une idée concrétisée par une histoire écrite sous la forme d'un synopsis, qui est ensuite transformé en scénario détaillé, comportant les dialogues et les actions des personnages dans un environnement précis, et découpé en différents plans de prises de vues. La tâche du directeur de production consiste à organiser le tournage du film, en studio ou en extérieurs, et à prendre en charge les équipes, acteurs et techniciens, pendant la durée du travail. Il s'occupe de tous les détails : repérage des lieux, demande d'autorisations auprès de particuliers ou d'organismes publics, déplacements, logement, acheminement du matériel, mise en place des décors. Il dirige, supervise, aménage en étroite collaboration avec le producteur qui finance le film, l'auteur du scénario et le metteur en scène qui le réalise. C'est un métier exigeant, plein d'imprévus, de responsabilités et de contacts humains quelquefois épineux, qui nécessite un esprit ingénieux et une grande disponibilité physique et morale.

Cameraman　△

Le cameraman, ou cadreur de son nom français, est l'opérateur chargé d'enregistrer sur son appareil de prise de vues les différents plans d'un film. Lorsque les acteurs ont pris place dans le décor et qu'ils sont prêts à jouer, que retentit le «clap» annonçant le numéro de la scène, le cameraman filme l'action, l'œil collé au viseur (dispositif optique servant à cadrer) et le casque sur les oreilles pour capter le son. La scène est souvent rejouée plusieurs fois et filmée jusqu'à ce qu'elle soit jugée parfaite par le réalisateur. Une caméra est un instrument très délicat à manœuvrer et le cadreur est entouré d'une équipe de techniciens et d'assistants pour la déplacer et l'orienter dans l'axe voulu. Le travelliste s'occupe du chariot mobile qui la supporte, avançant ou reculant le long d'un rail installé à cet effet ; un assistant règle la mise au point des objectifs, un autre remplace les films impressionnés par des films vierges. Plan après plan, les images sont cadrées selon les instructions du metteur en scène, mais c'est le cameraman qui «voit» et il s'efforce de réaliser les meilleures séquences possibles. Les prises de vues faites en studio ou en plein air comportent des difficultés distinctes, profondeur de champ, éclairage, apparence des décors, qu'un bon cameraman doit déjouer. Une grande technicité professionnelle ainsi qu'un profond sens artistique sont des qualités indispensables pour réussir dans ce métier.

Ingénieur du son　▷

Le son tient une part importante dans la réalisation cinématographique, où l'image est le plus souvent complétée par les paroles des personnages, de la musique et des bruits soulignant l'action et animant l'environnement. Pendant les prises de vues, l'ingénieur du son travaille à l'enregistrement des dialogues et des principaux bruits ambiants (certains bruitages étant rajoutés lors du montage des bandes sonores, comme la musique). Les micros sont disposés en différents endroits du tournage, cachés

dans les décors, suspendus au-dessus du plateau ou déplacés suivant les besoins de la prise de son. C'est notamment la tâche des perchistes de suivre les évolutions des acteurs

en tendant un micro au bout d'une tige, depuis une passerelle ou un échafaudage, et quelquefois dans des positions très inconfortables. L'ingénieur dirige les équipes de preneurs de son à partir de la régie, installée dans un studio ou un véhicule insonorisé. Assis devant son tableau de commande, il peut contrôler les nombreuses sources sonores qui lui parviennent, les régler et les mélanger en accord avec le réalisateur. Il est un spécialiste de l'électronique et des techniques d'enregistrement, ainsi que des procédés de mixage et de montage, ce qui demande en plus des qualités artistiques et le sens de la musique.

Scripte　▷

Le métier de scripte n'est pas facile à exercer. Il exige une présence et une attention continues et comporte une responsabilité de tous les instants pendant la durée d'un tournage, depuis la réception du texte jusqu'à l'enregistrement du dernier plan. Collaboratrice du réalisateur, la tâche de la scripte consiste à veiller à l'enchaînement dcs imagcs, comptc tcnu dc tous lcs détails, qu'il s'agisse des costumes, des décors, des gestes ou des paroles, ou de l'emplacement de chaque caméra qu'il faut mesurer au centimètre près. Elle doit tout voir et tout noter, jusqu'au moindre fait concernant chaque scène, et chronométrer les diverses séquences pour assurer la continuité de la réalisation. Elle participe à la préparation du film, au découpage des séquences, à la mise en place du décor, et elle se tient constamment aux côtés du réalisateur pendant le tournage, vérifiant et contrôlant la conformité de tous les éléments du film. C'est sur la scripte que repose la vraisemblance des situations, sur son habileté et son intuition.

Maquilleuse　△

Acteurs et actrices ont besoin des soins attentifs de la maquilleuse pour mettre leur visage en valeur, le rajeunir ou le vieillir selon les nécessités du rôle. Mais les techniques modernes ont poussé l'art du maquillage si loin, qu'il est possible de transformer la tête et le corps de quelqu'un au point de lui donner pratiquement n'importe quelle apparence : un visage brûlé ou hagard, des plaies et des cicatrices,

du sang et des larmes, les difformités d'un monstre ou la beauté d'un ange. Postiches, prothèses, perruques, masques invisibles, rides en caoutchouc collé peuvent modeler l'aspect et changer l'âge. Pourtant, si certains maquillages sont faciles à exécuter, à retoucher ou à refaire entre deux prises de vues, d'autres peuvent requérir des heures de préparation. Un travail souvent fatigant, qui commence tôt le matin pour finir tard le soir. Choisir ce métier, c'est aimer l'ambiance des plateaux de tournage autant que l'art de la métamorphose.

Le cinéma 2

Monteur de films ▷

Ce n'est que lors du montage qu'un film prend sa vraie dimension, qu'il devient une œuvre construite, harmonieuse, reflétant l'idée du réalisateur et concrétisant l'énorme somme de travail accompli par les cameramen et les preneurs de son, les artistes et les techniciens. Chargé de l'assemblage des images et du son, des découpes et des mixages qui mènent à la réalisation définitive du film, le monteur visionne et trie les innombrables rouleaux de pellicule des différents plans filmés dans le désordre. En suivant le script, il reconstitue, à l'aide de ciseaux et de ruban adhé-

sif, l'ordre des scènes prévu par le scénariste, évoquant des lieux, des gens et des actions déterminés. Il

taille, colle, arrange et choisit parmi plusieurs versions d'une même scène celle qui est la plus réussie ou qui présente le meilleur angle de prise de vues, juge la ou les bandes magnétiques qui donnent la sonorisation la plus convaincante, la mieux adaptée. Le monteur est plus qu'un technicien, c'est un créateur, une sorte de magicien moderne qui fabrique du rêve à partir des images et du son, le transformant en réalité visuelle et auditive projetée sur les écrans de cinéma. Formé dans un centre d'études et de recherche cinématographiques, il ajoute à ses compétences techniques, des qualités d'imagination et d'adaptabilité à tous les sujets, ainsi qu'un sens critique et esthétique très affiné.

Trucman ▷

Les trucages font partie des merveilles du cinéma. Ils réalisent les situations les plus extraordinaires, les plus féeriques ou les plus destructrices, avec la parfaite illusion de la réalité. Le trucman est un truqueur professionnel qui construit des maquettes pour reconstituer tous les environnements possibles, depuis l'âge des cavernes jusqu'aux mondes extraterrestres, en passant par la guerre de Troie et d'autres batailles célèbres. Certaines maquettes sont fabriquées grandeur nature, mais beaucoup le sont à des échelles plus réduites, lorsqu'il s'agit de monuments historiques qui s'effondrent, de villes qui brûlent ou de sous-marins en difficulté au fond de l'océan. Avec la complicité des caméras, il réussit à

leur redonner une dimension normale en agrandissant les images et en les faisant alterner avec les séquences jouées par les acteurs. Il utilise des feux d'artifice pour simuler les bombes, des fumées pour les brouillards et des toiles de fond peintes pour représenter le vide spatial ou une jungle grouil-

lante de vie. Les décors sont aussi quelquefois dessinés par ordinateur et mêlés aux images des scènes filmées pour produire des effets étonnants. Le trucman est un maître de l'imagination et de l'art de créer le faux-semblant auquel il donne vie pour enchanter le spectateur.

Bruiteur

Le bruiteur est le spécialiste de tous les bruitages postsynchronisés, c'est-à-dire des sons ajoutés aux images déjà enregistrées. Il reconstitue artificiellement les bruits qui accompagnent l'action, du pas d'un homme dans la rue au galop d'un cheval, de la pluie qui tombe sur un toit à la tempête qui mugit, de l'enfant qui pleure au train qui passe au loin. Il est capable d'imiter n'importe quel fracas, grincement, clapotis ou ululement simplement avec sa bouche, ses mains, un morceau de bois, un bout de tuyau. Ses accessoires, qui tiennent dans une petite valise, lui permettent de transformer brusquement une pièce vide en un hall de gare animé, il suffit de fermer les yeux et d'écouter! Toute une gamme de bruits spécifiques sont préenregistrés et constituent une discothèque très utilisée dans le montage des bandes sonores, mais beaucoup d'autres, plus inusités, sont exécutés par le bruiteur au cours d'une postsynchronisation ou d'une représentation théâtrale. Le bruitage est un art qui demande une bonne oreille et une grande imagination.

Acteur de postsynchronisation ▷

Les films étrangers sont rarement projetés en version originale, ils sont doublés par des comédiens qui prêtent leur voix aux personnages filmés. La postsynchronisation est une opération délicate qui nécessite la présence de plusieurs spécialistes : les traducteurs et les acteurs, des ingénieurs du son, des bruiteurs et des monteurs. Les textes sont traduits en fonction du déroulement de l'histoire, mais les mots sont choisis pour correspondre le plus possible aux mouvements des lèvres des acteurs originaux. Les comédiens qui apprennent à dire les dialogues, s'exercent longuement devant les images mouvantes du film, jusqu'à superposer parfaitement leurs paroles à la bouche des personnages et donner l'impression que ce sont eux qui les prononcent. La bande sonore est ensuite enregistrée par petites séquences, nommées «boucles», cependant que les bruiteurs y rajoutent tous les sons permettant de recréer l'ambiance du film. La bande définitive est montée par le postsynchronisateur qui la substitue à l'originale sur la bande d'images. C'est un métier exempt de notoriété mais difficile, qui demande à l'artiste une longue expérience pour arriver à créer l'illusion de la spontanéité.

Cascadeur ▷

Les scènes dangereuses d'un film ne sont généralement pas tournées par les acteurs eux-mêmes, leur rôle étant de jouer la comédie et non de prendre des risques auxquels ils ne sont pas préparés. Les moments périlleux sont exécutés par des doublures habillées et maquillées à leur ressemblance, des spécialistes rompus à tous les sports, qui bravent les dangers à leur place, mais de manière calculée et minutieusement préparée. Les cascadeurs sont rarement connus, pourtant ce sont eux qui réalisent les temps forts des films d'action. Un cascadeur est un sportif avant d'être un comédien. C'est un acrobate et un voltigeur, pilote automobile, parachutiste et plongeur sous-marin, prêt à affronter les batailles et accidents les plus spectaculaires, les situations les plus audacieuses, mais non sans un entraînement poussé et de nombreuses répétitions des cascades, et en prenant les précautions de sécurité indispensables, filets, harnais, tremplins. Ça reste toutefois un métier dangereux mettant fréquemment la vie du cascadeur en péril; un métier qui conjugue l'art et le risque et qui s'exerce par passion.

Les sports

Conseiller sportif

La mission du conseiller sportif consiste à développer les associations sportives et d'en créer de nouvelles, d'organiser des stages et des épreuves afin de permettre aux jeunes de se mesurer physiquement, dans quelque discipline que ce soit. C'est en ces occasions que le conseiller peut détecter les nouveaux athlètes et les joueurs de talent, peut-être des futurs champions qu'il convient de former et de diriger avec une compétence professionnelle confirmée. Il sélectionne aussi les entraîneurs, les animateurs, les arbitres qui seront amenés à s'occuper des équipes et à dispenser un enseignement dans tous les secteurs du sport. Le diplôme de conseiller sportif s'obtient après deux ans de préparation dans un centre de l'Institut national des sports et permet d'assurer l'encadrement des éducateurs et des moniteurs travaillant dans les clubs et les centres à divers niveaux. C'est un rôle qui nécessite la connaissance des techniques de formation et de gestion, ainsi qu'un jugement sûr tant sur le plan humain que sur le plan sportif.

Instructeur

L'instructeur se consacre particulièrement aux jeunes qui s'initient à un sport, déjà passionnés mais encore débutants, qu'il instruit des nombreuses règles, des techniques et de la discipline du jeu. Ce sont les clubs extra-scolaires de footballeurs, de volleyeurs ou de tennismen juniors qui fournissent les éléments des équipes nationales de demain. Il est donc important de les suivre, de les observer et de reconnaître ceux qui possèdent l'enthousiasme, la ténacité et surtout le don inné susceptibles de les pousser vers une carrière sportive. Un brevet d'instructeur mène aussi à la formation à d'autres sports de plein air comme l'escalade, le canoë, la plongée sous-marine ou la spéléologie : des activités qui demandent un encadrement sérieux et attentif des jeunes amateurs, ainsi que des compétences physiques et sportives de haut niveau. Une mission de confiance et de responsabilités requérant des qualités d'organisateur et d'éducateur, et la volonté d'œuvrer pour le sport et de le faire aimer.

Entraîneur △

Dans les sports d'équipe comme dans les sports individuels, le rôle de l'entraîneur est d'une importance primordiale. Sa manière d'enseigner, de diriger, de pousser ses élèves vers le succès, mais aussi de les comprendre, est directement liée à leur comportement physique et moral. Sa psychologie et ses méthodes pédagogiques ont autant d'influence que ses compétences à redresser un geste, à soutenir un rythme. Le sport exige une énorme dépense d'énergie et une discipline constante du corps et des efforts à fournir, ce qui implique également une hygiène physiologique et alimentaire qu'il est indispensable de surveiller. L'entraîneur est souvent un ancien champion qui possède une longue expérience théorique et pratique de sa spécialité. Le savoir qu'il dispense aux athlètes ou aux joueurs sélectionnés pour les perfectionner, est fait de dynamisme et de volonté de vaincre.

Professeur de culture physique ▷

La gymnastique est à la fois un délassement et la sauvegarde d'une bonne forme physique, quel que soit l'âge des participants. De nombreuses salles sont équipées pour permettre les exercices de mise en condition, puis d'efforts musculaires, qu'il est nécessaire de doser selon les aptitudes et la résistance de chacun. Le professeur met en pratique ses connaissances d'anatomie et de physiologie pour enseigner à ses élèves jeunes ou vieux les mouvements de culture physique et le maniement des engins, de manière à leur redonner la vigueur et l'entrain que les longues heures de travail sédentaire ont entamés. La culture physique, comme certains sports de salle, haltérophilie, trampoline, judo, sont exercés sous la conduite de professionnels qualifiés, ou de maîtres d'armes en escrime, dont les études sont strictement réglementées et le titre sanctionné par un examen sévère. Car si le sport est un facteur de détente physique et morale, il doit être dispensé avec mesure et harmonie, afin que son impact sur la santé garde tous les atouts d'un bienfait.

Sportif professionnel ▷

Devenir champion olympique de descente à ski, de saut à la perche ou du 100 mètres/nage libre, quelle gloire! et combien en rêvent! Il faut savoir pourtant que derrière cette gloire se cache beaucoup de travail et de renoncement. Un champion de niveau international doit constamment se battre pour se maintenir à la première place. L'entraînement et la compétition coûtent cher et accaparent tout son temps, y compris souvent celui des études, qu'il faut, momentanément au moins, sacrifier. Or l'athlétisme ou la natation sont des sports dits d'amateurs, qui n'offrent pas de débouchés professionnels. Après quelques années entièrement consacrées au sport, le champion devra donc se préoccuper de son avenir... D'autres sports, en revanche, comme le football, le cyclisme, le tennis ou la compétition automobile sont devenus de véritables métiers, que le sportif exerce pendant une partie de sa vie, tant que sa condition physique le lui permet. Une carrière sportive implique une longue suite d'efforts et de sacrifices qui ne peuvent mener au succès qu'avec une volonté constante de se surpasser et une discipline de vie irréprochable, compte tenu d'un emploi du temps strictement mesuré entre les heures d'entraînement, la gymnastique, les massages et le repos, qui ne laisse guère de place aux désirs personnels. L'enthousiasme aussi doit demeurer toujours assez puissant chez le sportif professionnel, pour lui permettre de surmonter les échecs, la tension nerveuse et la fatigue qui font partie de son existence; de supporter aussi les pressions qui s'exercent sur lui : celles de ses adversaires, bien sûr, mais aussi celles du public et des médias dont le regard et les caméras sont braqués sur lui, prompts à l'acclamer comme à l'oublier. Afin de satisfaire leurs supporters, les vedettes du sport professionnel doivent se soumettre aux interviews, photographies, signatures d'autographes, tout en veillant à ce que leur popularité n'interfère pas trop dans leur vie privée.

121

Index alphabétique

Accompagnateur	55
Acheteur	64
Acteur	
voir comédien	
Acteur de postsynchronisation	119
Actuaire	70
Administrateur judiciaire	37
Affûteur	78
Agent	
voir gardien de la paix	
Agent d'assurances	70
Agent de change	68
Agent de montagne	39
Agent motocycliste	39
Agent de station (en montagne)	17
Agent technique de bureau	
voir dactylographe	
Agent de tourisme	55
Agents des chemins de fer	45
Agronome	10
Aiguilleur des chemins de fer	45
Aiguilleur du ciel	20
Ambassadeur	43
Ambulancier	30
Analyste financier	65
Anesthésiste	28
Animatrice de séquences pour enfants	115
Anthropologue	100
Antiquaire	61
Apiculteur	27
Appareilleur de pierres	50
Arbitragiste	68
Arbitre	120
Arboriculteur	13
Archéologue	96
Architecte	72
Architecte des espaces verts	72
Archiviste	101
Artiste peintre	102
Assistant de production	114
Assistante sociale	33, 34
Assureur	70
Astronaute	21
Astronome	98
Atomiste	92
Autorisateur	70
Aviculteur	26
Avocat	37
Berger	24
Bibliothécaire	42
Bijoutier-joaillier	48
Biochimiste	84
Biotechnologiste	86
Bonboutier	47
Bottier	47
Boucher	53
Boulanger-pâtissier	53
Bourrelier	23
Boursier	68
Brasseur	87
Brideur	47
Briqueteur	74
Bruiteur	119

Bûcheron	14
Cabinier	17
Cadreur	
voir cameraman	
Caissier	69
Cameraman	116
Cardiologue	28
Carrier	50
Carrossier	57
Cascadeur	119
Cavalier-soigneur	23
Champignonniste	12
Chanteur	111
Charcutier	53
Chargé de relations publiques	
voir conseiller de rel. publ.	
Charpentier en bois	73
Charpentier en fer	76
Chaudronnier	83
Chaussonnier	47
Chef de chantier	73
Chef de gare	45
Chef de production	65
Chef de projet	89
Chemisier	47
Chercheur	96
Chercheur en électronique	58
Chevillard	53
Chimiste	84
Chirurgien	29
Chirurgien dentiste	29
Chocolatier	87
Chorégraphe	111
Civiliste	37
Clerc de notaire	37
Clown	113
Coffreur	73, 75
Cogniticien	88
Cogniticien en fruits et légumes	11
Coiffeur	49
Colombophile	27
Comédien	112, 119
Commentateur sportif	115
Commissaire de police	39
Commissaire-priseur	37
Commissionnaire	64
Compositeur	110
Comptable	56, 64, 71
Concepteur (en informatique)	88
Concepteur médiatique	63
Conducteur d'engins de chantier	17, 76
Conducteur de locomotive	45
Conducteur de machines agricoles	11
Conducteur de machines d'exploitation forestière	14
Conducteur de pile nucléaire	93
Conducteur de scierie	78
Conducteur de travaux	73
Confectionneur en série	46
Conseiller agricole	10, 11
Conseil juridique	37
Conseiller d'orientation	34
Conseiller en placement	

voir gérant de fortune	
Conseiller de relations publiques	67
Conseiller sportif	120
Consul	43
Consultant	67
voir ingénieur-conseil	
Contrôleur des contributions	71
Contrôleur de gestion	63
Contrôleur laitier	25
Contrôleur des postes	44
Convoyeur de fonds	40
Copilote	21
Cordonnier	47
Correcteur	109
Corsetière	47
Costumière	113
Coupeur-patronnier	47
Courrier (en tourisme)	55
Courtier d'assurances	70, 71
Courtier en bourse	68
Couseur	47
Couturière	47, 113
voir tailleur	
Couvreur	73, 75
Cuillériste	48
Cuisinier	18, 55
Cultivateur	10, 11
Cybernéticien	90
Dactylographe	63
Danseur	111
Débardeur	14
Décorateur	105, 113
Délégué de coopérative agricole	10
Délégué de coopérative viticole	12
Dermatologue	28
Designer	103
voir aussi styliste	
Dessinateur d'études	67, 77
Détective privé	41
Diamantaire	48
Diététicienne	31
Diplomate	43
Directeur de production	116
Directeur des programmes	114
Distributeur	64
Documentaliste	67, 89, 107, 108, 115
Douanier	38
Droguiste	61
Ébéniste	79
Écologiste	15, 72
Économiste	66
Écrivain	106
Écrivain public	107
Éditeur	106
Éditorialiste	108
Éducateur sportif	19, 120
Électricien	17, 18, 56
Électricien d'équipement	59
Électromécanicien	59
Électronicien	58
Électrotechnicien	45
Éleveur de chevaux	23
Éleveur de chiens	26

Éleveur de porcs		25
Entraîneur		120
Entrepreneur		73
Épicier		52
Ergothérapeute		32
Esthéticienne		49
Ethnologue		100
Expert agricole et foncier		10
Expert-comptable		71
Faciliteur		66
Facteur		
voir préposé des postes		
Finisseur		47
Fleuriste		13
Floriculteur		13
Flotteur de bois		14
Fondé de pouvoir		69
Fondeur		82
Fondeur-ciseleur		48
Foreur		81
Funambule		113
Gantier		46
Garagiste		56
Garçon de restaurant		54
Garde-vente		14
Garde-vigile		41
Gardien de la paix		39
Gardien de parc national		16
Gardien de refuge		16, 17
Gendarme		38
Généalogiste		101
Géographe		101
Géologue		80
Géomètre-expert		73, 77
Géothermicien		94
Gérant de fortune		69
Gérontologue		28
Gestionnaire de banque de graines		11
Gestionnaire de données		89
Gestionnaire d'entreprise		62
Gestionnaire de troupeaux		24
Goûteur		87
Goûteur de vin		12
Grand couturier		47
Graphiste		103
Graveur		51, 104
Grutier		76
Guichetier (de banque)		69
Guide-interprète		21, 55
Guide de montagne		16, 17
Gynécologue		28
Habilleuse		113
Héraldiste		104
Homme-grenouille		19, 38
Homme de pont		18
Horloger		49
Hôtelier		55
Hôtesse de l'air		21
Illustrateur		102
Illustrateur sonore		115
Imprimeur		109
Infirmière		30
Informaticien		70, 89
Ingénieur d'affaires		67
Ingénieur en bioconversion		95
Ingénieur en chauffe industrielle		95
Ingénieur chimiste		85
Ingénieur de la connaissance		88
voir cogniticien		
Ingénieur-conseil		67
Ingénieur électronicien		58
Ingénieur en énergie solaire		94
Ingénieur en énergie de substitution		95
Ingénieur forestier		15
Ingénieur en génie atomique		93
Ingénieur en intelligence artificielle		91
Ingénieur de logiciel de base voir concepteur		
Ingénieur métallurgiste		83
Ingénieur des mines		81
Ingénieur en photovoltaïsme		94
Ingénieur de projet		77
Ingénieur en reconnaissance des formes		91
Ingénieur du son		117, 119
Inséminateur artificiel		25
Inspecteur d'assurances		70
Inspecteur des contributions		71
Inspecteur des instituts du vin		12
Inspecteur de police		39
Inspecteur des postes		45
Instituteur		35
Instructeur		120
Instrumentiste (en musique)		110
Instrumentiste en salle d'opération		30
Interprète		42
Jardinier		11, 13
voir aussi arboriculteur		
Jardinière d'enfants		35
Jockey		
voir Lad-jockey		
Jongleur		113
Journaliste		67, 108, 115
Juge		36
Juge de l'application des peines		36
Juge des enfants		36
Juge d'instance		36
Juge d'instruction		36
Juge des tutelles		36
Juriste		37, 72
Juriste d'entreprise		37
Kinésithérapeute		33
Laborantine		30
Lad-jockey		23
Lamineur		82
Lanceur de bois		14
Lapidaire		48
Libraire		60
Machiniste		113
Maçon		73, 74
Magasinier		56
Magistrat		36
Maître d'hôtel		54
Maître nageur		38, 39
Mandataire des halles		53
Maquettiste		107
Maquilleuse		117
Maraîcher		11
Maréchal-ferrant		23
Marin		18
Marin-pêcheur		18
Marqueur		14
Mécanicien		17, 18, 21, 56, 57
Mécanicien en confection		46
Médailler		104
Médecin généraliste		28, 33, 34
Médecin légiste		39
Médecin spécialiste		28
Menuisier en voitures		57
Météorologiste		98
Metteur en scène		112, 113, 116
Mineur		81
Miroitier		57
Modéliste		46, 47, 103, 113
Modiste		47
Moniteur d'auto-école		57
Moniteur d'équitation		22
Moniteur de ski		17
Moniteur de sport		39, 120
Moniteur de voile		19
Monteur en équipement sanitaire		60
Monteur de films		118, 119
Mosaïste		50
Motard		38
Mouleur noyauteur		82
Neurochirurgien		29
Neurologue		28, 33
Notaire		37
Océanographe		99
Oculiste		28
Œnologue		12
Officier de quart		18
Officier technicien		18
Opticien de précision		50
Orfèvre		48, 104
Orthésiste-prothésiste		32
Orthophoniste		33
Oto-rhino-laringologue		28, 33
Palefrenier-soigneur		23
Paléographe		101
Paléontologiste		97
Paysagiste		72
Pédiatre		28, 31
Peintre en bâtiment		74
Peintre d'intérieur		75
Peintre de pylônes		77
Peintre ravaleur		75
Peintre en voitures		57
Pépiniériste		15
Percepteur		71
Perchiste		117
Pharmacien		31
Pharmacologiste		85
Photographe		105
Phtisiologue		28
Physicien		92
Physionomiste		41
Pigiste		108
Pilote (marin)		18
Pilote d'hélicoptère		20
Pilote de ligne		21
Pisciculteur		19
Pisteur-secouriste		17
Plâtrier		74
Plombier		60
Plongeur		19, 38
Poissonnier		52
Politologue		43
Pompiste		56
Porcher		
voir éleveur de porcs		
Poseur de pylônes		17
Postsynchronisateur		119
Potier		51
Preneur de son		117, 119
Préposé des postes		44
Présentateur, présentatrice		115

Producteur	116
Professeur de culture physique	121
Professeur de lycée	34
Professeur technique adjoint (P.T.A.)	35
Programmateur	114
Programmeur	89
Projeteur	77
Prospecteur	80
Psychiatre	29
Psychologue	33
Psychomotricien	32
Psychothérapeute	32
Publicitaire	66
Puéricultrice	31, 33
Pupitreur	89
Radariste	58
Radioélectronicien	18
Radiographiste	18
Radiologue	29
Radionavigant	21
Réalisateur	114, 116
Réanimatrice voir infirmière	30
Rédacteur	108
Rédacteur en chef	108
Régisseur	113
Reporter	109
Repousseur	48
Responsable de jardin zoologique	27
Responsable de marketing	62
Restaurateur	54
Restaurateur de mosaïques antiques	50
Restaurateur d'œuvres d'art	105
Rhumatologue	28
Roboticien	90
Rosiériste	13
Routier	56

Sapeur-pompier	39
Scieur	78
Scripte	116
Sculpteur	104
Secrétaire	21, 56, 63
Secrétaire de direction	63
Secrétaire général voir secrétaire de mairie	
Secrétaire-greffier	36
Secrétaire de mairie	43
Secrétaire de réception	54
Secrétaire de rédaction	108
Sélectionneur de graines	11
Sellier-gainier	46, 57
Sellier-harnacheur	23
Semencier	11
Serriste voir maraîcher	11
Serrurier	61
Serveur	54
Sommelier	54
Sociologue	66, 101
Soudeur	18, 19, 57, 83
Souffleur à la bouche	51
Speaker	114
Speakerine	115
Spécialiste des techniques de protection	93
Sportif professionnel	121
Statisticien	66, 67, 70
Steward	18
Styliste	46, 47, 103
Surveillant d'établissement pénitentiaire	40
Tailleur	47
Tanneur-mégissier	46
Technicien du bois	79
Technicien chimiste	85
Technicien forestier	14

Technicien des industries agro-alimentaires	86
Technicien prothésiste	32
Technicien du son et de l'image	114
Technicienne d'analyses voir laborantine	
« Thécaire »	115
Tisserand	47
Tôlier-formeur	57
Tourneur sur bois	79
Traducteur	119
Traitant voir boursier	
Traiteur voir charcutier	
Transitaire	64
Transporteur grumier	14
Trapéziste	113
Travelliste	116
Tréfileur	82
Trésorier-payeur	71
Trucman	118
Truffiste	12
Tuilier-briquetier	74
Urbaniste	72
Urologue	28
Vendeur	56, 64, 65
Vendeur dépanneur en électronique	58
Verrier	51
Vétérinaire	22, 27
Viticulteur	12
Vitrailliste	51
Volcanologue	97
Zoologiste	27, 99
Zootechnicien	25

Index analytique

AGRICULTURE

Techniciens - Ingénieurs

Agronome 10
Délégué de coopérative agricole 10
Conseiller agricole 10, 11
Expert agricole et foncier 10
Semencier 11
Gestionnaire de banques de graines 11
Inspecteur des instituts du vin 12
Délégué de coopérative viticole 12
Technicien forestier 14
Écologiste 15, 72
Ingénieur forestier 15
Contrôleur laitier 25
Zootechnicien 25

Culture

Cultivateur 10, 11
Conducteur de machines agricoles 11
Maraîcher (serriste) 11
Viticulteur 12
Champignonniste 12
Truffiste 12
Jardinier 11, 13
Floriculteur 13
Rosiériste 13
Arboriculteur 13
Pépiniériste 15
Paysagiste 72

Élevage

Pisciculteur 19
Viticulteur 22, 27
Éleveur de chevaux 23
Cavalier-soigneur 23
Maréchal-ferrant 23
Palefrenier-soigneur 23
Berger 24
Gestionnaire de troupeaux 24
Éleveur de porcs (porcher) 25
Inséminateur artificiel 25
Éleveur de chiens 26
Aviculteur 26
Apiculteur 27
Colombophile 27
Responsable de jardin zoologique 27

Forêt

Garde-vente, marqueur 14
Bûcheron 14
Débardeur 14
Conducteur de machines d'exploitation forestière 14
Lanceur de bois 14
Transporteur grumier 14
Flotteur de bois 14

BATIMENT ET TRAVAUX PUBLICS

Bureau d'études

Écologiste 15, 72

Architecte 72
Urbaniste 72
Paysagiste 72
Architecte des espaces verts 72
Entrepreneur 73
Géomètre-expert 73, 77
Ingénieur de projet (projeteur) 77

Chantier

Poseur de pylônes 17
Électricien d'équipement 59
Plombier 60
Monteur en équipement sanitaire 60
Conducteur de travaux 73
Chef de chantier 73
Charpentier en bois 73
Briqueteur 74
Maçon 73, 74
Coffreur 73, 75
Couvreur 73, 75
Peintre en bâtiment 75
Plâtrier 75
Peintre ravaleur 75
Peintre d'intérieur 75
Conducteur d'engins de chantier 76, 17
Grutier 76
Charpentier en fer 76
Peintre de pylônes 77

Production de matériaux

Appareilleur de pierres 50
Carrier 50
Potier 51
Tuilier-briquetier 74

INDUSTRIE

Bureau d'études

Dessinateur d'études 67, 77
Ingénieur de projet (projeteur) 77
Graphiste 103
Maquettiste 107

Mines

Géologue 80
Prospecteur 80
Ingénieur des mines 81
Mineur 81
Volcanologue 97

Métallurgie

Lamineur 82
Tréfileur 82
Fondeur 82
Mouleur-noyauteur 82
Chaudronnier 83
Soudeur 18, 19, 59, 83
Ingénieur métallurgiste 83

Mécanique

Horloger 49
Mécanicien 17, 18, 21, 56, 57
Serrurier 61

Art

Orfèvre 48, 104
Cuilliériste 48
Diamantaire, lapidaire 48
Verrier 51
Potier 51
Graveur 104

Automobile

Garagiste 56
Mécanicien 56, 57
Électricien 56
Mécanicien 56, 57
Carrossier 56, 57
Menuisier en voiture 57
Tôlier-formeur 57
Peintre en voitures 57
Soudeur 57
Sellier-gainier 57
Miroitier 57
Designer 103

Électricité

Électricien 17, 18, 56
Radiographiste, radio-électronicien 18
Radionavigant 21
Électrotechnicien 45
Électronicien 58
Vendeur-dépanneur en électronique 58
Chercheur en électronique 58
Radariste 58

Énergie nucléaire

Physicien 92
Atomiste 92
Ingénieur en génie atomique 93
Spécialiste des techniques de protection 93
Conducteur de pile nucléaire 93

Énergies nouvelles

Géothermicien 94
Ingénieur en énergie solaire 94
Ingénieur en photovoltaïsme 94
Ing. en énergies de substitution 95
Ing. en chauffe industrielle 95
Ing. en bioconversion 95

Chimie

Chimiste 84
Biochimiste 84
Pharmacologiste 85
Ingénieur chimiste 85
Technicien chimiste 85

Agro-alimentaire

Sélectionneur de graines 11
Cogniticien en fruits et légumes 11
Technicien chimiste 85
Biotechnologiste 86

Technicien des industries agro-alimentaires 86

Pétrole

Plongeur 19
Pompiste 56
Géologue 80
Foreur, ingénieur foreur 81

Métiers du bois

Charpentier 73
Menuisier 78
Conducteur de scierie 78
Scieur 78
Affûteur 78
Ébéniste 79
Tourneur sur bois 79
Technicien du bois 79
Sculpteur 104

Textile - Habillement

Gantier 46
Tanneur-mégissier 46
Sellier-gainier 46, 57
Confectionneur en série 46
Mécanicien en confection 46
Styliste 46, 47, 103
Tailleur 47
Couturière 47, 113
Corsetière 47
Chemisier 47
Modiste 47
Grand couturier 47
Tisserand 47
Cordonnier 47
Coupeur-patronnier 47
Finisseur 47
Brideur 47
Couseur 47
Bonboutier 47
Chaussonnier 47
Bottier 47
Modéliste 46, 47, 103

Industries diverses

Semencier 11
Sellier-harnacheur 23
Bourrelier 23
Orthésiste-prothésiste 32
Technicien prothésiste 32
Fondeur-ciseleur 48
Repousseur 48
Souffleur à la bouche 51
Tuilier-briquetier 74

ALIMENTATION - CUISINE

Œnologue 12
Goûteur de vin 12
Épicier 52
Poissonnier 52
Charcutier 53
Traiteur 53
Boucher 53
Chevillard 53
Boulanger-pâtissier 53
Restaurateur 54
Garçon de restaurant 54
Sommelier 54
Serveur 54
Maître d'hôtel 54
Cuisinier 18, 55
Biotechnologiste 86
Goûteur 87

Brasseur 87
Chocolatier 87

TOURISME - HOTELLERIE

Guide de montagne 16, 17
Gardien de refuge 16, 17
Agent de station 17
Cabinier 17
Steward 18
Hôtesse de l'air 21
Physionomiste 41
Interprète 42
Secrétaire de réception 54
Restaurateur 54
Garçon de restaurant 54
Sommelier 54
Serveur 54
Maître d'hôtel 54
Hôtelier 55
Cuisinier 55
Agent de tourisme 55
Courrier 55
Accompagnateur 55
Guide-interprète 21, 55

TRANSPORTS

Air

Pilote d'hélicoptère 20
Aiguilleur du ciel 20
Pilote de ligne 21
Copilote 21
Rdionavigant 21
Mécanicien 21
Hôtesse de l'air 21
Radariste 58

Mer

Marin 18
Officier de quart 18
Officier technicien 18
Homme de pont 18
Mécanicien 18
Radiographiste 18
Radioélectronicien 18
Pilote 18
Radariste 58

Canaux - Fleuves

Flotteur de bois 14

Terre

Lanceur de bois 14
Transporteur grumier 14
Cabinier 17
Ambulancier 30
Convoyeur de fonds 40
Chef de gare 45
Agents des chemins de fer 45
Aiguilleur des chemins de fer 45
Électronicien 45
Conducteur de locomotive 45
Routier 56

COMMERCE

Finances - Gestion

Gestionnaire d'entreprise 62
Contrôleur de gestion 63
Chef de production 65
Analyste financier 65
Boursier (traitant) 68
Agent de change 68
Fondé de pouvoir 69

Gérant de fortune (conseiller en placement) 69
Assureur 70
Agent d'assurances 70
Autorisateur 70
Statisticien 70
Informaticien 70
Actuaire 70

Entrepreneur de services

Acheteur 64
Transitaire 64
Commissionnaire 64
Mandataire 64
Distributeur 64
Publicitaire 66
Faciliteur 66
Ingénieur-conseil (consultant) 67
Ingénieur d'affaires 67
Statisticien 67
Conseiller de relations publiques 67
Arbitragiste 68
Courtier en bourse 68
Courtier d'assurances 70, 71

Commerçants

Maraîcher (serriste) 11
Fleuriste 13
Pépiniériste 15
Pharmacien 31
Gantier 46
Tisserand 47
Tailleur 47
Couturière 47, 113
Chemisier 47
Modiste 47
Cordonnier 47
Bottier 47
Bijoutier-joaillier 48
Diamantaire, lapidaire 48
Horloger 49
Coiffeuse 49
Potier 51
Épicier 52
Poissonnier 52
Charcutier 53
Traiteur 53
Boucher 53
Chevillard 53
Mandataire aux halles 53
Boulanger-pâtissier 53
Restaurateur 54
Hôtelier 55
Garagiste 56
Pompiste 56
Libraire 60
Plombier 60
Droguiste 61
Antiquaire 61
Serrurier 61

Employés

Magasinier 56
Vendeur-dépanneur en électronique 58
Comptable 56, 64, 71
Vendeur 56, 64, 65
Caissier 69

SERVICES

Vendeur-dépanneur en électronique 58
Concepteur médiatique 63

Analyste financier 65
Publicitaire 66
Faciliteur 66
Conseiller de relations publiques 67
Autorisateur 70

INFORMATIQUE-CYBERNÉTIQUE-ROBOTIQUE

Gestionnaire de banques de graines 11
Cogniticien en fruits et légumes 11
Concepteur (Ing. de logiciel de base) 88
Cogniticien (Ing. de la connaissance) 88
Gestionnaire de données 89
Informaticien 70, 89
Documentaliste en informatique 89
Chef de projet 89
Programmeur 89
Pupitreur 89
Roboticien 90
Cybernéticien 90
Ingénieur en reconnaissance des formes 91
Ingénieur en intelligence artificielle 91

ADMINISTRATION

Secrétaire-greffier 36
Bibliothécaire 42
Interprète 42
Secrétaire de mairie 43
Secrétaire générale 42
Concepteur médiatique 63
Secrétaire 21, 56, 63
Dactylographe (agent technique de bureau) 63
Secrétaire de direction 63
Comptable 56, 64, 71
Chef de production 65
Statisticien 66, 67, 70
Guichetier (de banque) 69
Expert-comptable 71

PROFESSIONS JURIDIQUES

Juge 36
Juge d'instance 36
Juge d'instruction 36
Juge de l'application des peines 36
Juge des enfants 36
Juge des tutelles 36
Secrétaire-greffier 36
Juriste 37
Civiliste 37
Juriste d'entreprise 37
Administrateur judiciaire 37
Commissaire-priseur 37
Avocat 37
Conseil juridique 37
Notaire 37
Clerc de notaire 37
Autorisateur 70

PRESSE-ÉDITION-IMPRIMERIE

Libraire 60
Illustrateur 102
Éditeur 106
Écrivain 106
Maquettiste 107
Documentaliste 107, 108, 115

Écrivain public 107
Rédacteur en chef 108
Rédacteur 108
Secrétaire de rédaction 108
Journaliste 67, 108
Pigiste 108
Éditorialiste 108
Reporter 109
Correcteur 109
Imprimeur 109
Traducteur 119

ENSEIGNEMENT

Moniteur de ski 17
Moniteur de voile 19
Moniteur d'équitation 22
Professeur de lycée 34
Professeur technique adjoint (P.T.A.) 35
Instituteur 35
Jardinière d'enfants 35
Maître nageur 38, 39
Moniteur de sport 39, 120
Moniteur d'auto-école 57
Éducateur sportif 19, 120
Instructeur 120
Entraîneur 120
Professeur de culture physique 121

AFFAIRES ÉTRANGÈRES

Interprète 42
Diplomate 43
Ambassadeur 43
Consul 43
Politologue 43
Transitaire 64
Commissionnaire 64
Ingénieur d'affaires 67
Traducteur 119

RECHERCHE

Sélectionneur de graines 11
Écologiste 15, 72
Astronaute 21
Zoologue (ou zoologiste) 27, 99
Styliste 46, 47
Chercheur en électronique, électronicien 58
Économiste 66
Statisticien 66, 67, 70
Actuaire 70
Géologue 80
Biochimiste 80
Chimiste 84
Pharmacologiste 85
Biotechnologiste 86
Concepteur (Ing. de logiciel de base) 88
Cogniticien (Ing. de la connaissance) 88
Roboticien 90
Cybernéticien 90
Ingénieur en reconnaissance des formes 91
Ingénieur en intelligence artificielle 91
Physicien 92
Atomiste 92
Ingénieur en génie atomique 93
Géothermicien 94
Ingénieur en énergie solaire 94
Ingénieur en photovoltaïsme 94

Ingénieur en énergies de substitution 95
Ingénieur en chauffe industrielle 95
Chercheur 96
Archéologue 96
Paléontologiste 97
Volcanologue 97
Astronome 98
Météorologiste 98
Océanographe 99

FONCTION PUBLIQUE

Postes

Préposés des postes 44
Facteur 44
Contrôleur des postes 44
Inspecteur des postes 45

Chemins de fer

Chef de gare 45
Agents des chemins de fer 45
Aiguilleur 45
Conducteur de locomotive 45

Finances

Trésorier-payeur 71
Inspecteur, contrôleur des contributions 71
Percepteur 71
Comptable 71

Justice

Juge 36
Magistrat 36
Administrateur judiciaire 37
Commissaire-priseur 37
Médecin légiste 39

Éducation nationale

Professeur de lycée 34
Professeur technique adjoint (P.T.A.) 35
Instituteur 35
Professeur de culture physique 35

Services sociaux

Infirmière 30
Puéricultrice 31, 33
Assistante sociale 33, 34
Conseiller d'orientation 34

Armée-Police intérieure

Gardien de parc national 16
Gardien de refuge 16, 17
Douanier 38
Plongeur 38
Gendarme 38
Homme-grenouille 38
Maître nageur 38, 39
Motard 38
Inspecteur de police 39
Commissaire de police 39
Gardien de la paix 39
Agent 39
Agent de montagne 39
Agent motocycliste 39

SANTÉ

Vétérinaire 22, 27
Laborantine 30
Technicienne d'analyses 30
Infirmière 30

Instrumentiste (en salle d'opéra-
tion)   30
Réanimatrice   30
Ambulancier   30
Puéricultrice   31, 33
Diététicienne   31
Pharmacien   31
Orthésiste-prothésiste   32
Ergothérapeute   32
Psychothérapeute   32
Psychomotricien   32
Orthophoniste   33
Kinésithérapeute   33
Anesthésiste   28
Médecin généraliste   28
Médecin spécialiste   28
Dermatologue   28
Urologue   28
Gynécologue   28
Oculiste   28
Oto-rhino-laryngologue   28, 33
Neurologue   28, 33
Rhumatologue   28
Cardiologue   28
Phtisiologue   28
Pédiatre   28, 31
Gérontologue   28
Chirurgien   29
Neurochirurgien   29
Chirurgien dentaire   29
Radiologue   29
Psychiatre   29

SERVICES SOCIAUX

Conseiller agricole   10, 11
Gardien de parc national   16
Gardien de refuge   16, 17
Puéricultrice   31, 33
Assistante sociale   33, 34
Conseiller d'orientation   34
Conseil juridique   37

ARMÉE - POLICE - SÉCURITÉ

Gardien de parc national   16
Gardien de refuge   16, 17
Guide de montagne   16, 17
Pisteur-secouriste   17
Douanier   38
Plongeur, homme-grenouille   38
Gendarme   38
Motard   38
Inspecteur de police   39
Commissaire de police   39
Gardien de la paix   39
Agent de police   39
Agent de montagne   39
Agent motocycliste   39
Maître nageur-sauveteur   39
Sapeur-pompier   39
Surveillant d'établissement péni-
tentiaire   40
Convoyeur de fonds   40
Garde-vigile   41
Détective privé   41
Physionomiste   41

SOINS DE BEAUTÉ

Coiffeuse   48
Esthéticienne   49
Maquilleuse   117

ART

Art et dessin

Dessinateur   67, 77
Artiste peintre   102
Sculpteur   104

Arts appliqués

Styliste   46, 47, 103
Grand couturier   47
Bijoutier-joaillier   48
Orfèvre   48, 104
Cuilliériste   48
Diamantaire, lapidaire   48
Mosaïste   50
Restaurateur de mosaïques anti-
ques   50
Vitrailliste   51
Potier   51
Antiquaire   61
Architecte   72
Urbaniste   72
Architecte des espaces verts   72
Dessinateur d'études   67, 77
Ébéniste   79
Illustrateur   102
Graphiste   103
Modéliste   46, 47, 103, 113
Designer   103
Sculpteur   104
Graveur   51, 104
Médailler   104
Héraldiste   104
Restaurateur d'œuvres d'art   105
Décorateur   105, 113
Photographe   105
Maquettiste   107

SPECTACLES

Cinéma - Télévision - Radio

Directeur des programmes   114
Programmateur   114
Réalisateur   114, 116
Assistant de production   114
Technicien du son et de l'image   114
Présentateur, speaker   114, 115
Présentatrice, speakerine   115
Journaliste   67, 115
Commentateur sportif   115
Animatrice de séquences pour
enfants   115
Illustrateur sonore   115
«Thécaire»   115
Documentaliste   115
Directeur de production   116
Producteur   116
Metteur en scène   116
Cameraman (cadreur)   116
Travelliste   116
Ingénieur du son   117
Perchiste   117
Preneur de son   117
Scripte   117
Maquilleuse   117
Monteur de films   118
Trucman   118
Bruiteur   119
Acteur de postsynchronisation   119
Traducteur   119
Acteur   119
Comédien   119

Postsynchronisateur   119
Cascadeur   119

Théâtre

Metteur en scène   112, 113
Comédien   112
Régisseur   113
Costumière   113
Modéliste   113
Habilleuse   113
Décorateur   113
Machiniste   113

Cirque

Jongleur   113
Trapéziste   113
Funambule   113
Clown   113

SPORT

Moniteur de ski   17
Guide de montagne   16, 17
Plongeur, homme-grenouille   19, 38
Moniteur de voile   19
Éducateur sportif   19, 120
Moniteur d'équitation   22
Lad-jockey   23
Cavalier-soigneur   23
Motard   38
Moniteur de sport   39, 120
Commentateur sportif   115
Cascadeur   119
Conseiller sportif   120
Arbitre   120
Instructeur   120
Entraîneur   120
Professeur de culture physique   121
Sportif professionnel   121

MÉTIERS DE LA MER

Marin   18
Officier de quart   18
Officier technicien   18
Homme de pont   18
Mécanicien   18
Radiographiste, radio-électroni-
cien   18
Électricien   18
Soudeur   18
Steward   18
Pilote   18
Marin-pêcheur   18
Plongeur, homme-grenouille   19, 38
Pisciculteur   19
Maître nageur-sauveteur   39
Radariste   58
Océanographe   99

MÉTIERS DU CIEL

Pilote d'hélicoptère   20
Aiguilleur du ciel   20
Pilote de ligne   21
Copilote   21
Radionavigant   21
Hôtesse de l'air   21
Mécanicien   21
Astronaute   21
Radariste   58
Astronome   98
Météorologiste   98

Quelques adresses utiles...

où vous trouverez des renseignements sur les métiers qui vous intéressent,
les écoles ou les apprentissages à suivre,
les diplômes ou les certificats à obtenir,
ou de la documentation·pour vous aider à faire un choix.

L'AGRICULTURE

Ministère de l'Agriculture, service «renseignements et éducation», *78, rue de Varenne, 75007 Paris.*
Centre de Documentation et d'Information rurale, *92, rue du Dessous-des-Berges, 75013 Paris.*
Union nationale de l'enseignement agricole privé, *277, rue Saint-Jacques, 75005 Paris.*
Écoles nationales du génie rural, des eaux et des forêts — Écoles nationales supérieures agronomiques — Collèges et Lycées agricoles.

L'HORTICULTURE

Centre national interprofessionnel de l'horticulture, *10, rue du Séminaire, 94150 Rungis.*
Centre de formation technologique «Tecomah» de Jouy-en-Josas (option floriculture, jardins, espaces verts).
École d'agriculture du Breuil, *Vincennes* — École privée d'agriculture, *Saint-Ylan, 22120 Yffignac* — Lycée agricole de Neuvic.
Institut technique du vin, *3, rue de Rigny, 75008 Paris.*
Centre national de documentation horticole, *4, rue Hardy, 78000 Versailles.*

LA SYLVICULTURE

Office national des forêts, *2, av. de Saint-Mandé, 75570 Paris Cedex 12.*
École nationale du génie rural, des eaux et des forêts, *19, av. du Maine, 75015 Paris.*
École nationale des travaux des eaux et forêts, *Les Barres, 45290 Nogent-sur-Vernisson.*
Union nationale des producteurs de l'horticulture et des pépiniéristes, *19, bd Magenta, 75010 Paris.*
Lycée agricole (option protection de la nature), *19160 Neuvic.*

LA MONTAGNE

Fédération française de la montagne, *20 bis, rue de la Boétie, 75008 Paris.*
Centre de formation continue aux métiers de plein air, *38 Bourg-d'Oisans.*
École nationale de ski et d'alpinisme, *74 Chamonix.*
L.E.P. (Lycée d'enseignement professionnel), *73 Saint-Michel-de-Maurienne* (sports de montagne); *38360 Sassenage*

et *73490 La Ravoire* (remontées mécaniques).

LA MER

Ministère de la Mer, *3, place de Fontenoy, 75013 Paris.*
Écoles nationales de la marine marchande — Collèges d'enseignement technique maritime (Marseille, Le Havre, Nantes, Paimpol, Saint-Malo).
Écoles d'apprentissage maritime (dans tous les ports importants).
Fédération française de voile, *70, rue Saint-Lazare, 75009 Paris.*
Fédération française d'études et de sports sous-marins, *24, quai de Rive-Neuve, 13000 Marseille et 34, rue du Colisée, 75008 Paris.*
Syndicat des pisciculteurs-salmoniculteurs de France, *28, rue Milton, 75009 Paris.*
Institut national des techniques de la mer, *rue de la Bucaille, 50108 Cherbourg.*

L'ESPACE AÉRIEN

École nationale d'aviation civile, *31000 Toulouse-Lespinet.*
Bureau de l'aviation civile, *246, rue Lecourbe, 75015 Paris.*
Direction de la navigation aérienne (personnel technique et formation), *3, av. de Friedland, 75008 Paris.*
Bureaux information de l'armée de l'air, *378, rue de Vaugirard, 75015 Paris.*
Institut aéronautique Amaury-de-la-Grange, *59190 Hazebrouck.*
C.N.E.S., Centre d'études spatiales, *129, rue de l'Université, 75007 Paris.*

LES CHEVAUX

Syndicat national des vétérinaires français, *28, rue des Petits-Hôtels, 75010 Paris.*
Écoles vétérinaires à Lyon, Toulouse, Nantes, Maisons-Alfort, École nationale des haras, *Haras du Pin, 61310 Exmes.*
Centres de formation de lads-jockeys, hippodromes de Chantilly, Maison-Laffite, Mont-de-Marsan, Saint-Jean-de-Days.
Écoles nationales d'équitation à Fontainebleau, Saumur.
Fédération des syndicats d'éleveurs de chevaux de selle, *51, rue Dumont-d'Urville, 75017 Paris.*

L'ÉLEVAGE 1

Centre d'enseignement zootechnique, *78120 Rambouillet.*
Fédération nationale des organisations de contrôle laitier, *149, rue de Bercy, 75012 Paris.*
Union nationale des maisons familiales rurales, *59, rue Réaumur, 75002 Paris.*
Collèges et Lycées agricoles (option élevage, productions animales, laiterie).

L'ÉLEVAGE 2

Union nationale rurale d'éducation et de promotion, *26, rue Bergère, 75009 Paris.*
Stages dans les grands chenils (élevage, dressage), Centre d'information et de documentation agricole (apiculture), *61, Échauffour.*
Collèges et Lycées agricoles (option aviculture).

LES MÉDECINS

Conseil national de l'ordre des médecins, et Association nationale des étudiants en médecine, *60, bd de Latour-Maubourg, 75340 Paris Cedex 07.*
Cellules d'information et d'orientation des universités (deux cycles d'études et quatre filières d'internat : médecine générale, médecine spécialisée, santé publique, recherche).
Ministère de la santé, *8, av. de Ségur, 75700 Paris.*
Ordre national des chirurgiens-dentistes, *22, rue Émile-Menier, 75016 Paris.*

L'AIDE MÉDICALE

Conseil de l'ordre des pharmaciens, *31, rue Terrage, 75010 Paris.*
Association nationale des infirmiers et infirmières, *24, av. de la République, 75011 Paris.*
Écoles de laborantins (analyses médicales : centres hospitaliers, analyses biologiques et biochimiques : lycées techn.).
Syndicat des diététiciens, *95, rue de Loubière, 13005 Marseille.*
Comité d'entente des Écoles de puériculture, *26, bd Brune, 75014 Paris.*
Direction départementale de l'action sanitaire et sociale (Préfectures).

L'AIDE PARAMÉDICALE

Fédération française des kinésithérapeutes, *9, rue des Petits-Hôtels, 75010 Paris.*

Association nationale française des ergothérapeutes, *3, rue de Stockholm, 75008 Paris.*

Fédération nationale des orthophonistes, *60, bd de Latour-Maubourg, 75007 Paris.*

Lycée technique d'Alembert (orthésistes-prothésistes), *22, sente des Dorées, 75019 Paris.*

Association nationale des assistantes et assistants sociaux, *15, rue de Bruxelles, 75009 Paris.*

L'ENSEIGNEMENT

Ministère de l'éducation nationale, *110, rue de Grenelle, 75007 Paris.*

Écoles normales supérieures : *45, rue d'Ulm, 75005 Paris* (garçons) ; *2, rue Maurice-Arnoux, 92120 Montrouge* (filles - sciences) ; *48, bd Jourdan, 75014 Paris* (filles - lettres).

École normale supérieure de l'enseignement technique, *61, av. du Président-Wilson, 94230 Cachan.*

Centre d'entraînement aux méthodes d'éducation active, *55, rue Saint-Placide, 75006 Paris.*

Comité d'entente des centres de formation d'éducateurs de jeunes enfants, *31, rue de l'Abbé-Grégoire, 75006 Paris.*

LA JUSTICE

Ministère de la Justice, Direction des services judiciaires, *13, place Vendôme, 75001 Paris.*

Conseil de l'ordre des avocats, *4, bd du Palais, 75001 Paris.*

Chambre nationale des huissiers de justice, *44, rue de Douai, 75009 Paris.*

École nationale d'application des secrétaires-greffes, *2, av. Aristide-Briand, 21000 Dijon.*

Conseil supérieur du notariat, *31, rue du Général-Foy, 75008 Paris.*

École de la Magistrature, *9, rue du Maréchal-Joffre, 33000 Bordeaux.*

LA SÉCURITÉ 1

Préfecture de police, *2, rue de la Cité, 75004 Paris.*

Secrétariats généraux pour l'administration de la police (Préfectures).

Écoles de gendarmerie, *B. P. 46, 94702 Maisons-Alfort.*

« Interrégions des douanes de Paris », *14, rue Yves-Toudic, 75010 Paris.*

Fédération nationale des sapeurs-pompiers, *27, rue de Dunkerque, 75010 Paris.*

LA SÉCURITÉ 2

Institut de perfectionnement aux professions de la sécurité, *244, rue du Faubourg Saint-Antoine, 75012 Paris.*

Chambre nationale des agents de recherche, *25, passage des Princes, 75002 Paris.*

Conseil national des détectives et

enquêteurs privés, *3, rue du Boccador, 75008 Paris.*

Direction de l'administration pénitentiaire (Préfectures). Agences de police privée.

DIPLOMATIE ET ADMINISTRATION COMMUNALE

Ministère des Relations extérieures, direction du personnel et bureau des concours, *21 bis, rue La Pérouse, 75016 Paris.*

Ministère de la Coopération et du Développement, service d'information, *20, rue Monsieur, 75007 Paris.*

Instituts d'études politiques et Écoles nationales d'administration.

École supérieure d'interprètes et de traducteurs de Paris-Sorbonne, *place de Lattre-de-Tassigny, 75116 Paris.*

Centre de formation des personnels communaux, *146, bd de Grenelle, 75737 Paris Cedex 15.*

Association des bibliothécaires, *65, rue de Richelieu, 75002 Paris.*

POSTES ET CHEMINS DE FER

École nationale supérieure des P. T. T., *46, rue Barrault, 75013 Paris.*

Directions départementales des Postes et bureaux de Poste. Direction du personnel de la S. N. C. F., *88, rue Saint-Lazare, 75436 Paris Cedex 09.*

Centre de formation S. N. C. F., *95 Louvres* (école de formation générale - école supérieure des cadres - école d'informatique).

Division régionale du personnel S. N. C. F., *place du 11-Novembre 1918, 75475 Paris Cedex 10,* et grandes villes.

L'HABILLEMENT

Fédération nationale des maîtres tailleurs, *12, rue du Havre, 75009 Paris.*

Union nationale de la couture et des activités annexes, *102, rue du Faubourg Saint-Honoré, 75008 Paris.*

École nationale d'arts décoratifs, *23200 Aubusson.*

Syndicat des artisans de la chaussure, *21, rue Jean-Poulmarch, 75004 Paris.*

Compagnons du Devoir du Tour de France, *82, rue de l'Hôtel-de-Ville, 75004 Paris.*

BIJOUX ET BEAUTÉ

École de la bijouterie, joaillerie et orfèvrerie, *58, rue du Louvres, 75002 Paris.*

Lycée technique des industries métallurgiques (option métal d'art), *40, bd des Tchécoslovaques, 69007 Lyon.*

Fédération des horlogers-bijoutiers, *359, rue Saint-Martin, 75003 Paris.*

Fédération nationale de la coiffure, *17, rue Notre-Dame-des-Victoires, 75002 Paris.*

Fédération de l'esthétique-cosmétique, *163, rue Saint-Honoré, 75001 Paris.*

LE VERRE ET LA PIERRE

École nationale supérieure des arts appliqués et des métiers d'art, *63-65, rue Olivier-de-Serres, 75015 Paris.*

École nationale des beaux-arts de Paris, *17, quai Malaquais, 75006 Paris.*

École supérieure d'optique de Paris.

C. A. P., *134, av. de Villiers, 75017 Paris* (tailleur de pierre) et Lycées d'enseignement professionnel : L. E. P., *22 Quintin* (granit), et *15, rue Saint-Lambert, 75015 Paris* (monuments historiques).

École des arts décoratifs de Limoges (céramique) et Lycée pilote de Sèvres.

L'ALIMENTATION

Centre de formations technologiques de la Chambre de commerce et d'industrie de Paris, *11, rue Jean-Ferrandi, 75006 Paris.*

Confédération nationale de la boulangerie-pâtisserie, *27, av. d'Eylau, 75782 Paris Cedex 16.*

École professionnelle de la boucherie de la Région parisienne, *37, bd Sault, 75012 Paris.*

Confédération nationale de la charcuterie, *15, rue Jacques-Bingen, 75017 Paris.*

Chambres de commerce et d'industrie et Chambres de métiers.

L'HOTELLERIE

Fédération nationale de l'industrie hôtelière, *22, rue d'Anjou, 75008 Paris.*

Union nationale des enseignements technologiques hôteliers, *66, rue de la Rochefoucault, 75009 Paris.*

I. N. F. A. C., Institut national de formation professionnelle pour animateurs de collectivités : *82, rue François-Roland, 94130 Nogent-sur-Marne* (techniques hôtelières), et *51, rue Jacques-Kablé, 94130 Nogent-sur-Marne* (tourisme).

Institut international de Glion (hôtellerie et gestion touristique), *1823 Glion-sur-Montreux (Suisse).*

L'AUTOMOBILE

Chambre syndicale nationale du commerce, de la réparation, du garage, de l'entretien et du ravitaillement de l'auto, *6, rue Léonard-de-Vinci, 75016 Paris.*

A. F. T., Association pour le développement de la formation dans les transports, *63, av. de Villiers, 75017 Paris.*

L. E. P. de Nanterre, Mulhouse, Saint-Quentin, Limoges, et Compagnons du Devoir du Tour de France.

Centre de formation d'apprentis (routiers, déménageurs), *78490 Tremblay-sur-Mauldre.*

Fédération nationale des cycles et motocycles, *59, av. de la Grande-Armée, 75016 Paris.*

ÉLECTRICITÉ ET ÉLECTRONIQUE

Chambre syndicale des entreprises

d'équipement électrique, *10, rue du Débarcadère, 75017 Paris.*
École supérieure d'électricité, *av. de la Boulais, 35510 Cesson-Sévigné.*
École supérieure des Télécommunications, *46, rue Barrault, 75013 Paris.*
École supérieure d'ingénieurs en électrotechnique et en électronique, *91, rue Falguière, 75015 Paris.*
Fédération nationale des industries électriques et électroniques, *11, rue Hamelin, 75016 Paris.*

COMMERÇANTS ET ARTISANS

Association nationale pour la formation et le perfectionnement en librairie et papeterie, *11, rue Saint-Dominique, 75007 Paris.*
Écoles d'antiquaires, Chambres des métiers :
de Paris, *42, rue Bassano, 75016 Paris;* du Midi, *11, rue Aufan, 83100 Toulon.*
Union nationale des chambres syndicales de couverture et de plomberie, *3, rue de Lutèce, 75004 Paris.*
Cours professionnels pour l'apprentissage de la quincaillerie, *164, Faubourg Saint-Honoré, 75008 Paris.*

LA GESTION 1 — MARKETING

École commerciale de la Chambre de commerce et d'industrie de Paris, *3, rue Armand-Moisant, 75015 Paris* (garçons); *38, av. Trudaine, 75009 Paris* (filles).
Académie commerciale internationale, *43, rue de Tocqueville, 75017 Paris.*
Institut technique du commerce et de la distribution, *11, rue Viète, 75017 Paris.*
European Business School, *8, rue de la Paix, 75008 Paris.*
Écoles supérieures de commerce et d'administration des entreprises et Instituts universitaires de technologie.

LA GESTION 2 — COMPTABILITÉ ET VENTE

H. E. C., Écoles des hautes études commerciales, *1, rue de la Libération, 78850 Jouy-en-Josas.*
E. S. S. E. C., Écoles supérieures des sciences économiques et commerciales, *quai de la Préfecture, 95021 Cergy-Pontoise.*
École technique privée de préparation aux examens comptables, *74, rue du Temple, 75003 Paris.*
École nationale de commerce, *70, bd Bessières, 75017 Paris.*
École supérieure d'approvisionnement, *8, rue du Conservatoire, 75009 Paris.*

SERVICES ET PUBLICITÉ

Chambre syndicale des sociétés d'études et de conseil, *3, rue Léon-Bonnat, 75016 Paris.*
École nationale de la statistique et de l'administration économique, *3, av. Pierre-Larousse, 92240 Malakoff.*
Institut des Hautes Études de l'Information et de la Communication, *77, rue de Villiers, 92200 Neuilly-sur-Seine.*
École supérieure de publicité, *9, rue Léo-Delibes, 75016 Paris.*
Association des Agences conseils en publicité, *40, bd Malesherbes, 75008 Paris.*

LA BANQUE ET LA BOURSE

Grandes écoles - Universités - Conservatoire national des arts et métiers - Institut d'études politiques.
Centre de formation de profession bancaire, *7, rue du Général-Foy, 75008 Paris.*
Cours Servais, *18, rue Bergère, 75009 Paris* (concours Banque de France), et Institut technique de banque.
Association française des banques, *18, rue La Fayette, 75009 Paris.*
Chambre syndicale des agents de change, *4, place de la Bourse, 75002 Paris.*

ASSURANCES ET TRÉSOR PUBLIC

Association pour l'enseignement de l'assurance (A. E. A.), *37, av. de l'Opéra, 75001 Paris.*
École nationale d'assurances (C. N. A. M.), *292, rue Saint-Martin, 75003 Paris.*
Institut des sciences financières et d'assurances (Univ. de Lyon), *43, bd du 11-Novembre 1918, 69021 Villeurbanne.*
Institut des actuaires français, *242, rue Saint-Honoré, 75001 Paris.*
École nationale des services du Trésor, *bois de la Grange, Noisiel, 77420 Champs-sur-Marne.*
École nationale des impôts, *1, rue Ledru, 63000 Clermont-Ferrand.*

LE BATIMENT 1

Union technique interprofessionnelle du bâtiment et des travaux publics, *9, rue de la Pérouse, 75784 Paris Cedex 16.*
École nationale supérieure des arts et industries, *24, bd de la Victoire, 67000 Strasbourg.*
Institut d'aménagement régional, *18, rue de l'Opéra, 13 Aix-en-Provence.*
L. E. P., I. U. T. et Écoles nationales supérieures des beaux-arts.
Institut d'urbanisme de Paris XII-Créteil.
Institut de topométrie, *292, rue Saint-Martin, 75003 Paris.*

LE BATIMENT 2

Compagnons du Devoir du Tour de France.
C. A. P. E. B. (artisans du bâtiment), *2 bis, rue Michelet, 92133 Issy-les-Moulineaux Cedex.*
Centre de formation d'apprentis et L. E. P., *134, av. de Villiers, 75017 Paris.*
Chambre syndicale des entreprises de couverture et de plomberie, *10, rue du Débarcadère, 75017 Paris.*
Centre technique des tuiles et briques, *17, rue Letellier, 75015 Paris.*

LE GÉNIE CIVIL

École centrale, École des mines de Saint-Étienne, Conservatoire national des arts et métiers, Polytechnique, Supélec.
I. U. T., Lycées techniques et Écoles d'art.
École professionnelle du dessin industriel, *163, rue Saint-Maur, 75011 Paris.*
Établissement technique d'Égletons, *19 Corrèze.*
Centre technique de la construction métallique, *20, rue Jean-Jaurès, 92807 Puteaux.*

INDUSTRIE ET TECHNIQUES DU BOIS

Office national des forêts, *2, av. de Saint-Mandé, 75570 Paris Cedex 12.*
Fédération nationale des syndicats d'exploitants forestiers, scieurs et industriels du bois, *1, place André-Malraux, 75001 Paris.*
Confédération nationale des industries du bois, *36, av. Hoche, 75008 Paris.*
École supérieure du bois, *6, av. de Saint-Mandé, 75012 Paris.*
Centre technique du bois, *10, av. de Saint-Mandé, 75012 Paris.*
Lycées techniques, L. E. P., École Boulle de Paris, *9, rue Pierre-Bourdan, 75012 Paris.*

LES MINES ET LE PÉTROLE

Bureau de recherches géologiques et minières, *191, rue de Vaugirard, 75015 Paris.*
École nationale supérieure de géologie appliquée et de prospection minière, *94, av. du Général-de-Lattre-de-Tassigny, 54000 Nancy.*
Écoles nationales sup. de mines, *60, bd Saint-Michel, 75005 Paris,* et *158, cours Fauriel, 69 Saint-Étienne.*
École nationale supérieure du pétrole et des moteurs, *av. du Bois-Préau, 92500 Rueil-Malmaison.*
Sociétés de forages en mer.

LA MÉTALLURGIE

Institut de recherche de la sidérurgie, *185, rue du Président-Roosevelt, 78100 Saint-Germain-en-Laye.*
Syndicat national de la chaudronnerie et tôlerie, *10, av. Hoche, 75008 Paris.*
Institut de soudure, *32, bd de la Chapelle, 75018 Paris.*
Compagnons du Tour de France, Lycées techniques, L. E. P. et F. P. A. (formation prof. des adultes) à partir de 17 ans.

LA CHIMIE

I. N. S. A., Institut national des sciences appliquées.

Écoles pluridisciplinaires : Centrale, Polytechnique, Mines.
Écoles spécialisées en chimie : Montpellier, Toulouse, Nancy.
Écoles sup. de chimie et Universités.
Centre technique de l'industrie des papiers, cartons et cellulose, *B. P. 7110, 38020 Grenoble.*
Institut de recherche sur le caoutchouc, *42, rue Scheffer, 75016 Paris,* et Institut des corps gras, *10 A, rue de la Paix, 75002 Paris.*
Éthylène-plastique (filiale «chimie» des Charbonnages de France) Rhône-Poulenc, et grands laboratoires pharmaceutiques.

L'AGRO-ALIMENTAIRE

Grandes écoles, I. N. S. A., Écoles sup. de chimie, d'agriculture. Association pour le développement de la bio-industrie, *39, rue Labouret, 92700 Colombes.*
Association nationale des industries agro-alimentaires, *52, rue du Faubourg Saint-Honoré, 75008 Paris.*
Groupement d'études et de recherches sur l'agronomie tropicale, *42, rue Scheffer, 75016 Paris.*
Centre de recherches Trepal (Kronenbourg et société européenne de brasserie).

L'INFORMATIQUE

Grandes écoles d'ingénieurs (Polytechnique, Centrale, H. E. C.) I. N. S. A., Instituts des sciences, Universités (trois maîtrises : informatique, sciences et techniques, méthodes informatiques appliquées à la gestion).
Écoles nationales supérieures d'informatique : Paris, Toulouse, Grenoble - Instituts de programmation : Paris, Grenoble - I. U. T. et Lycées techniques.
Écoles privées : Pigier, *93, rue de Rivoli, 75001 Paris* et C. B. I., *64, rue de Miromesnil, 75008 Paris.*
Syndicat national des écoles privées d'informatique et d'automatique, *43, rue de Trévise, 75009 Paris.*

LA ROBOTIQUE

Université Paul-Sabatier, *31 Toulouse* (intelligence artificielle, reconnaissance des formes et robotique).
I. N. R. I. A., Institut national de recherche en informatique et automatique, *Domaine Voluceau, 78150 Rocquencourt.*
École nationale supérieure d'électrotechnique, d'électronique, d'informatique et d'hydraulique de Toulouse.
École nationale supérieure d'informatique et de mathématiques appliquées de Grenoble.
Écoles supérieures d'électricité et de mécanique de Paris, Nancy, Bordeaux, Nantes.

L'ÉNERGIE NUCLÉAIRE

Commissariat à l'Énergie atomique (recherche), *29, rue de la Fédération, 75015 Paris.*
Institut national des sciences et techniques nucléaires de Saclay (ingénieurs en génie atomique, techniciens sup. pour le contrôle des rayonnements ionisants et l'application des techniques de protection), *91190 Gif-sur-Yvette .*
Centres d'études nucléaires : Grenoble, Fontenay, Cadarache.
Universités : Lyon (physique moléculaire), Bordeaux (physique atomique), Paris, Strasbourg.
Organismes de recherche : C. N. R. S., E. D. F.

LES ÉNERGIES NOUVELLES

Agence pour la maîtrise de l'énergie, *27, rue Louis-Vicat, 75015 Paris.*
Grandes écoles, Écoles sup. d'ingé-...eurs, d'agriculture, de chimie, Instituts scientifiques et techniques (géosciences, génie biologique, biochimique, génétique, thermique et électrique, sciences des matériaux).
Instituts de recherche, C. N. R. S., I. N. R. A. (Institut national de la recherche agronomique), *149, rue de Grenelle, 75007 Paris,* et Bureau de recherches géologiques et minières, *191, rue de Vaugirard, 75015 Paris.*

LA RECHERCHE 1

C. N. R. S., Centre national de recherche scientifique, *15, quai Anatole-France, 75007 Paris.*
I. N. S. E. R. M., Institut national de la santé et de la recherche médicale, *101, rue de Tolbiac, 75645 Paris Cedex.*
Institut d'art et d'archéologie de Paris, *3, rue Michelet, 75006 Paris.*
Institut et observatoire de physique du globe (volcanologie), *63 Clermont-Ferrand* - Observatoires en Guadeloupe et en Martinique.
Muséum d'histoire naturelle de Paris, *57, rue Cuvier, 75005 Paris.*

LA RECHERCHE 2

Grandes écoles d'ingénieurs, École normale sup. de sciences, Universités (mathématiques et physique).
C. N. É. S., Centre national d'études spatiales, *129, rue de l'Université, 75007 Paris.*
Centre météorologique de Toulouse-Mirail, *av. Eisenhower, 31057 Toulouse Cedex.*
Institut de météorologie et des sciences climatiques, *69 Lyon.*
C. N. E. X. O., Centre national pour l'exploitation des océans, *66, av. d'Iéna, 75016 Paris.*
Centre d'enseignement zootechnique, *78120 Rambouillet.*

LA RECHERCHE 3

Centre de formation à la recherche ethnologique, *17, rue de la Sorbonne, 75005 Paris.*
Institut d'ethnologie, *3, rue de Rome, 67000 Strasbourg.*
Institut des sciences humaines appliquées de Paris.
Institut d'études psychologiques et sociologiques de Grenoble, et d'études psychologiques et psychosociales de Bordeaux.
Institut des sciences sociales du travail de Paris.
École des chartes, *19, rue de la Sorbonne, 75005 Paris.*
Institut de démographie, *22, rue Vauquelin, 75005 Paris.*

LE DESSIN

Écoles nationales, régionales et municipales des beaux-arts.
École nationale supérieure des beaux-arts de Paris, *17, quai Malaquais, 75006 Paris.*
École nationale supérieure des arts appliqués et métiers d'art de Paris, *63-65, rue Olivier-de-Serres, 75015 Paris.*
École supérieure des arts appliqués Duperré (publicité, dessin animé, bande dessinée), *11, rue Dupetit-Thouars, 75003 Paris.*
École des beaux-arts d'Angoulême (bande dessinée).
École des beaux-arts de Reims (dessins animés).
École Estienne de Paris (arts graphiques), *78, bd Auguste-Blanqui, 75013 Paris.*
Institut français d'esthétique industrielle, *26, av. Pierre-Ier-de-Serbie, 75116 Paris.*

LES ARTS PLASTIQUES

École nationale supérieure des arts décoratifs, *31, rue d'Ulm, 75005 Paris.*
École nationale sup. des arts et techniques du théâtre, *21, rue Blanche, 75009 Paris.*
École nationale d'art de Nice et École Boulle de Paris, *9, rue Pierre-Bourdan, 75012 Paris.*
Centre de formation technologique Grégoire, *28, rue de l'Abbé-Grégoire, 75006 Paris.*
Institut français de restauration des œuvres d'art, *1, rue Barbier-de-Metz, 75013 Paris.*
École Louis-Lumière, *8, rue Rollin, 75005 Paris* (section photo).

L'ÉDITION

Syndicat national de l'édition, *177 bis, bd Saint-Germain, 75006 Paris.*
Association de formation professionnelle pour les métiers de l'édition, *21, rue Charles-Fourier, 75013 Paris.*
Institut national des techniques de documentation, *292, rue Saint-Martin, 75003 Paris.*
École de bibliothécaire-documentaliste de l'Institut catholique de Paris, *21, rue d'Assas, 75006 Paris.*
École Estienne de Paris et Écoles des beaux-arts.

Académie des écrivains publics, *Le Prieuré, 6, rue de l'Église, 91420 Marangis.*

LA PRESSE

Centre de formation des journalistes, *33, rue du Louvres, 75002 Paris.*
Écoles supérieures de journalisme : *4, place Saint-Germain-des-Prés, 75006 Paris et 50, rue Gauthier-de-Chatillon, 59 Lille.*
Centre universitaire d'enseignement du journalisme, C. U. E. J., *10, rue Schiller, 67000 Strasbourg.*
I. U. T. de Bordeaux et de Tours (carrières de l'information).
Institut national des industries et arts graphiques, *11, rue du Ballon, Les Richardets, 93160 Noisy-le-Grand.*
École de papeterie de Grenoble et École Estienne de Paris.

LA MUSIQUE ET LA DANSE

Conservatoire national de musique, *14, rue de Madrid, 75008 Paris et 3, rue de l'Angile, 69005 Lyon.*
École d'art lyrique du théâtre national de l'Opéra de Paris, *5, rue Favart, 75002 Paris.*
École de danse de l'Opéra, *place de l'Opéra, 75009 Paris.*
Centre national de danse contemporaine de Viola Farber, *42, bd Henri-Arnauld, 49 Angers.*
Centre national d'animation musicale (renseignements musique et danse), *55, rue de Varenne, 75007 Paris.*

LE THÉATRE ET LE CIRQUE

Centre d'information et d'orientation de l'Association prof. du spectacle et de l'audiovisuel, *7, rue du Helder, 75009 Paris.*
Conservatoire national supérieur d'art dramatique, *2 bis, rue du Conservatoire, 75009 Paris.*
École supérieure d'art dramatique, *1, rue du Général-Gouraud, 67000 Strasbourg.*
École de mimodrame de Paris (Marceau), *17, rue René-Boulanger, 75010 Paris.*

École nationale du cirque (Étaix-Fratellini), *2, rue de la Clôture, 75019 Paris,* et Centre d'art clownesque.

LA RADIO ET LA TÉLÉVISION

Centre de formation de la Radio, *94 Bry-sur-Marne.*
Lycée de Sèvres (techniques des métiers de la musique) *21, rue du Docteur-Ledermann, 92 Sèvres.*
Lycée Louis-Lumière, *8, rue Rollin, 75005 Paris.*
Centre national de télé-enseignement, *76041 Rouen Cedex.*
Institut national des techniques de la documentation, *292, rue Saint-Martin, 75003 Paris.*

LE CINÉMA 1

Institut des hautes études cinématographiques (I. D. H. E. C.), *4, av. de l'Europe, 94360 Bry-sur-Marne.*
École supérieure d'études cinématographiques, *22, rue Béranger, 75003 Paris.*
Centre d'étude et de recherche de l'image et du son, *88, rue François-Rolland, 94130 Nogent-sur-Marne.*
École supérieure de réalisation audiovisuelle, *137, av. Félix-Faure, 75015 Paris.*
Cours technique Christian Chauveau (technique du maquillage), *168, bd Haussmann, 75009 Paris.*

LE CINÉMA 2

Centre national du cinéma, *12, rue de Lubeck, 75016 Paris.*
Conservatoire libre du cinéma, *16, rue du Delta, 75009 Paris.*
École Louis-Lumière, *8, rue Rollin, 75005 Paris.*
École de cascadeurs Claude Carliez, *56, rue Louis-Muret, 91430 Igny.*
École du spectacle (claquettes, danse, mime, acrobatie), *136, rue de Crimée, 75019 Paris.*

LES SPORTS

Centre de formation d'éducateurs sportifs de l'Institut national des sports, *11, av. du Tremblay, 75012 Paris.*
École normale supérieure d'éducation physique et sportive de Châtenay-Malabry.
Fédérations sportives françaises et Directions départementales de la Jeunesse et des Sports.
Ministère de la Jeunesse et des Sports, *118, av. du Président-Kennedy, 75775 Paris Cedex.*
Société d'études et de recherche des activités physiques et sportives, *15, av. de la Concorde, 78500 Sartrouville.*
Comité national olympique et sportif français.

ADRESSES à L'ÉTRANGER

BELGIQUE

Ministère de l'Éducation nationale, Cité administrative de l'État, *205, chaussée de Wavre, 1040 Bruxelles.*
Centre national Infor Jeunes, *1, av. des Saisons, 1050 Bruxelles.*

LUXEMBOURG

Service national de la Jeunesse, *20, av. Marie-Thérèse, Luxembourg.*

SUISSE

Office de la Jeunesse, Département de l'Instruction publique, *34, bd Saint-Georges, 1205 Genève.*
Office fédéral de l'Industrie, des Arts et Métiers et du Travail, *3000 Berne.*

CANADA

Ministère de l'Éducation, *Édifice G., 1035, rue de la Chevrotière, Québec.*
Direction de la Formation professsssionnelle, Ministère du Travail et de la Main-d'œuvre, *425, rue Saint-Amarre, Québec.*

Pour les autres pays, s'adresser aux Services culturels des Ambassades.

Nous remercions tous les organismes qui ont bien aimablement répondu à notre demande de documentation, et, notamment, les PTT, le Crédit Lyonnais, la BNP, Matra, la RATP, le ministère de l'Intérieur, Antenne 2, le Centre technique du Bois, Air France, la « Vie du Rail », le parc Zoologique de Vincennes, la FNAC.

Les illustrations des pages 20, 21, 28, 29, 36, 37, 44 à 51, 58, 59, 70, 71, 78 à 81, 86, 87, 102 103, 106 à 109, 114 à 119 sont de Claire Cormier. Celles des pages 30 à 35, 52 à 57, 62 à 69, 72, 73, 76, 77, 84, 85, 90 à 99, 104, 105 sont de Florence Guiraud. Celles des pages 10 à 19, 22 à 27, 38 à 43, 60, 61, 74, 75, 82, 83, 88, 89, 100, 101, 110 à 113, 120, 121 sont de Teytaud.

Table des matières

L'agriculture	10	Services et publicité	66
L'horticulture	12	La banque et la bourse	68
La sylviculture	14	Assurances et Trésor public	70
La montagne	16	Le bâtiment - 1	72
La mer	18	Le bâtiment - 2	74
L'air	20	Le génie civil	76
Les chevaux	22	Industrie et techniques	
L'élevage - 1	24	du bois	78
L'élevage - 2	26	Les mines et le pétrole	80
La médecine	28	La métallurgie	82
L'aide médicale	30	La chimie	84
L'aide paramédicale	32	L'agro-alimentaire	86
L'enseignement	34	L'informatique	88
La justice	36	La robotique	90
La sécurité - 1	38	L'énergie nucléaire	92
La sécurité - 2	40	Les énergies nouvelles	94
Administration communale		La recherche - 1	96
et diplomatie	42	La recherche - 2	98
Postes et chemins de fer	44	La recherche - 3	
L'habillement	46	Les sciences humaines	100
Bijoux et beauté	48	Le dessin	102
Le verre et la pierre	50	Les arts plastiques	104
L'alimentation	52	L'édition	106
L'hôtellerie	54	La presse	108
L'automobile	56	La musique et la danse	110
Électronique et électricité	58	Le théâtre et le cirque	112
Commerçants et artisans	60	La radio et la télévision	114
La gestion 1 - Marketing	62	Le cinéma - 1	116
La gestion 2 - Comptabilité		Le cinéma - 2	118
et vente	64	Les sports	120

Loi n° 49-956 du 16 juillet 1949
sur les publications destinées à la jeunesse - Dépôt légal 9-1986

Imprimé par Maury-Imprimeur S.A.
Dépôt légal n° 2246-09-86
ISBN 2-01-011655-0
29-23-0586-01

29/0586/7
86-IX